Oui, chacun de nous
peut se transformer

Arnaud Desjardins
Dialogue avec Jean-Louis Cianni

Oui, chacun de nous peut se transformer

MARABOUT

Avant-propos

Un axiome souvent répété veut qu'«on ne change pas sa nature». Certes, celui qui a l'être d'un musicien n'a pas celui d'un chef d'entreprise. Mais il est vrai aussi que la nature même de l'homme, c'est justement le pouvoir de changer. Il peut éliminer certaines faiblesses et acquérir des capacités qu'il ne possédait pas auparavant. Nous avons tous notre expérience personnelle de ces améliorations et de ces développements possibles.

Par contre une transformation d'un autre ordre, une métamorphose au sens précis du terme, a été proposée depuis l'origine mais n'a jamais concerné qu'une minorité. À toutes les époques historiques, aussi anciennes soient-elles, et au sein de toutes les civilisations d'Orient et d'Occident, du Nord et du Sud, ont été transmis des enseignements et des méthodes connus sous les noms d'«ésotérisme» ou «traditions initiatiques» ou encore «voie», «chemin». (On retrouve l'équivalent de ces termes aussi bien dans le sanskrit des hindous ou le grec des premiers chrétiens que dans l'arabe des soufis.) Ils visent à un changement de statut ontologique évoqué comme «éveil» ou «libération» et le plus souvent présenté comme une mort à un niveau pour une vie à un tout autre niveau. Il ne s'agit pas de doctrine mais de «réalisation», de vérification par l'expérience personnelle.

On comprend que l'image naturelle de la métamorphose ait pu être universellement utilisée pour pointer vers cette nouvelle naissance. La plénitude d'un gland n'a jamais été un gland atteignant quinze mètres de diamètre mais un chêne de quinze mètres de haut. Et la comparaison la plus célèbre est celle de la chenille et du papillon, lequel se déploie dans la dimension verticale inaccessible à la chenille qu'il fut autrefois.

C'est ce changement de niveau d'être – ou de niveau de conscience – et cette comparaison célèbre qui ont inspiré mes rencontres amicales avec Jean-Louis Cianni et le livre qui en est issu.

Arnaud Desjardins

Prologue

Dans notre village monde, il n'est plus besoin de penser ni d'être, seul compte l'abêtissement dans l'avoir ou le croire. Le divertissement consumériste des uns, l'aliénation religieuse des autres constituent les deux voies d'une fausse alternative, alors même que ces deux options existentielles poursuivent le même but : la soumission de l'individu et son nivellement ontologique. Nous pouvons encore échapper à ce piège idéologique caricatural. La recherche spirituelle et le questionnement philosophique constituent deux des autres voies possibles – la création artistique en est une troisième – pour celles et ceux qui refusent de se laisser endormir par les narcotiques puissants des systèmes de domination. Cet entretien tente de rapprocher ces deux voies bien différentes, souvent opposées et quelquefois incompatibles, ou tout au moins de jeter entre elles des passerelles salutaires.

Certes, la libération spirituelle n'a rien de commun avec la liberté philosophique. Le sage ne s'attache guère à la raison alors que le philosophe lui conserve sa confiance. Le premier entend se détacher des contraintes affectives là où le second tente de faire avec. Absolu contre relatif, éveil contre simple lucidité, Soi contre soi-même, divinité de l'homme contre humanité des dieux, traditions orientales contre source grecque : on n'en finirait pas d'énumérer les points d'opposition et les motifs de divergences. Il ne s'agit pas de les éliminer ni de les atténuer. Il ne s'agit pas non plus ici de comparer ni d'objecter à l'infini, mais plutôt de tresser ensemble dans l'échange vivant deux recherches humaines, celle du papillon et celle de la chenille, ouvertes à la différence, qui témoignent d'un même refus des dogmes, de la passivité et du cynisme contemporains. Et il s'agit aussi de les mettre l'une et l'autre, l'une par l'autre, à l'épreuve du réel de l'époque.

L'expérience exceptionnelle d'Arnaud Desjardins rencontre donc ici – mais l'inverse est aussi vrai – le questionnement du philosophe. La voie spirituelle vécue intensément et sans concession croise l'interrogation opiniâtre et incrédule. La recherche de la sagesse sert de fil conducteur à la discussion en même temps qu'elle ouvre une traverse sur les sentiers battus de la non-pensée.

Au départ, cet entretien est également le fruit du hasard et de la complicité. Peu après la parution de mon livre La Philosophie comme remède au chômage, un de mes amis a adressé un exemplaire de celui-ci à Arnaud Desjardins. Quelque temps après, j'ai reçu un mot très sympathique de ce dernier. J'en ai été d'autant plus touché qu'il me rappelait que pour lui la sagesse ne se trouve pas dans les livres mais en nous-mêmes… Une phrase a suscité mon étonnement : Votre livre pourra aider beaucoup de lecteurs, merci pour eux de l'avoir écrit. Je recevais à ce moment-là des témoignages de lecteurs en souffrance, certains frappés par de terribles maladies, d'autres par des pertes douloureuses, au regard desquelles la longue période de chômage dont mon livre faisait la chronique pouvait paraître ridicule ; la plupart me remerciaient du réconfort que mes méditations philosophiques leur avaient apporté.

De façon plus souterraine, le courrier d'Arnaud Desjardins rappelait en définitive à des interrogations essentielles : pour quoi et pour qui écrit-on ? En quoi, et sous quelles réserves, la philosophie peut-elle nous aider à vivre ? Comment la placer au cœur, non plus d'un échange d'idées, mais d'une pratique de solidarité existentielle ? La question même du sens de mon projet revenait vers moi par un effet de boomerang : au bout du compte, qu'est-ce que j'avais à donner aux autres ?

Les autres, je n'en avais pas conscience quand je rédigeais mes méditations de demandeur d'emploi parvenu en fin de droits. Leur malheur m'était indifférent. Le but que je poursuivais était celui de ma propre survie. Je témoignais d'une épreuve personnelle, pas des vicissitudes de l'humanité. Seul mon salut – mon statut ? – m'importait. C'est ce vouloir-vivre égoïste et aveugle qui avait soutenu tout entier mon projet et réciproquement... La lettre d'Arnaud Desjardins me rappelait à une autre dimension humaine que mes exercices de philosophie n'avaient ni intégrée ni prévue : celle de l'ouverture à l'autre, de la communication profonde que l'épreuve d'une souffrance autorise. Je m'étais remis debout, certes, et je ne le devais qu'à moi-même, mais si les autres m'entouraient à nouveau et me reconnaissaient, c'est parce que, comme elles et comme eux, j'avais chuté. Le courrier d'Arnaud Desjardins marquait la fin d'un cycle intérieur et le commencement d'un autre.

Arnaud Desjardins concluait ainsi sa lettre : « En communion sur le chemin de la sagesse. » Une fenêtre nouvelle s'était ouverte en moi, elle offrait de nouveaux paysages de réflexion et d'action. Il fallait maintenant aller plus loin, faire connaissance, se parler. Un sceptique athée et un maître spirituel, quelle étrange mais séduisante rencontre ! Je l'ai proposée à Arnaud Desjardins, qui en a accepté le principe puis le déroulement avec chaleur et enthousiasme. J'ai eu la chance de passer deux jours en sa compagnie dans son ashram de Hauteville dans l'Ardèche. Cela m'a permis de m'initier à une tradition spirituelle, de mesurer ce qui la rapproche de la philosophie, notamment la philosophie grecque, et ce qui la sépare des religions.

Arnaud Desjardins m'a donné les premières clés d'une métaphysique orientale que je ne connaissais que très superficiellement. J'ai perdu beaucoup de préjugés sur la recherche spirituelle en laquelle je ne voyais qu'un ésotérisme exotique. J'ai découvert un autre horizon de savoir et de pratiques, appris des mots et des noms nouveaux, plongé dans les films d'Arnaud Desjardins, documents ethnologiques et tout simplement humains exceptionnels – pourrait-on les refaire aujourd'hui tant le monde s'est uniformisé et banalisé ? Le plus souvent nos critiques de l'aliénation consumériste contemporaine, nos réserves sur le pouvoir diviseur de la religion, nos condamnations des dérives sectaires se rejoignaient. Individualisme, cynisme, fanatisme dessinaient, pour des raisons en définitive très proches, nos lignes de front communes. Pas un seul instant je n'ai douté de la sincérité ni de la rigueur de la quête d'Arnaud Desjardins. Sous sa belle et puissante apparence j'ai surtout vu et écouté un sage vivant, un sage porteur d'une parole venue de la nuit des temps. C'est à ce message du lointain, message d'unité, d'amour et de paix qu'Arnaud a consacré sa vie, pour le retrouver d'abord et le transmettre ensuite. C'est cet héritage universel qu'il nous donne à partager.

Sur le chemin où celui-ci m'a invité, nous n'évoluons pas à la même altitude. Je demeure toujours désespérément – mais pour qui ? – au plus bas, alors que mon hôte, après quelques courtes minutes d'échauffement, gagne rapidement la ligne de crête. Il ne suffit pas qu'elle s'approche d'un papillon pour qu'une chenille se transforme… Mais plus que la grâce ou l'élévation à tout crin, l'essentiel n'est-il pas qu'un papillon et une chenille se rencontrent, se comprennent et fassent ensemble une belle promenade ? Cet entretien raconte aussi et surtout cela : une belle promenade sur le chemin de la vie.

Jean-Louis Cianni

1
La vie comme métamorphose

Arnaud Desjardins a consacré une partie de son existence à chercher la sagesse. Il affirme qu'on la trouve au terme d'un processus de transformation menant à l'éveil. Quelle voie a-t-il suivie ? En quoi consiste la métamorphose et comment s'opère-t-elle ?

Arnaud Desjardins

Je ne répondrai pas à ces questions à partir d'idées personnelles, pas plus qu'un enseignant en physique ou en histoire et géographie n'exprime son point de vue quand il donne un cours. Je n'ai pas une conception de la sagesse qui me soit propre, je n'ai fait que redécouvrir des enseignements très anciens, transmis depuis des milliers d'années de génération en génération. Je me réfère à un héritage spirituel recueilli notamment au cours de mes séjours en Asie entre 1959 et 1974, dans les ashrams hindous puis dans les temples tibétains, les monastères soto zen du Japon et auprès de soufis afghans avant que leur pays ne sombre dans la tragédie. Auparavant, de longues retraites dans une abbaye cistercienne et une amitié profonde et durable avec le père abbé m'ont fait découvrir la dimension ascétique et mystique du christianisme.

J'ai découvert ce genre d'enseignements en 1949, au sein de groupes Gurdjieff, peu après la mort de celui-ci. À partir des années 1950, j'ai participé assidûment aux réunions d'un de ces groupes et pratiqué les exercices de présence à soi-même et les méditations qu'on y proposait. Dix ans plus tard, j'ai poussé mes investigations en Inde où j'ai rencontré des femmes et des hommes dont la présence, le rayonnement dépassaient de très loin ceux des personnes les plus éminentes que j'avais pu connaître en France. Ces rencontres ont été déterminantes, infiniment plus que mes lectures, même si j'ai beaucoup lu, à commencer par des ouvrages de théologie chrétienne puis d'autres sur le bouddhisme, l'hindouisme, le soufisme et sur tout ce qu'on appelle la « spiritualité », terme d'ailleurs très flou dans la langue française.

Ma génération a reçu comme une révélation qu'il existait une autre voie que la croyance ou l'éthique, des méthodes concrètes conduisant à une transformation profonde de l'être humain. Des mots très forts comme « éveil » ou encore « libération » désignaient ce passage d'un niveau d'être à un autre niveau d'être. Il devenait possible de le réaliser dans une expérience vécue et de vérifier par soi-même ce qu'affirme la part convaincante des grandes traditions religieuses. Car cette part a subsisté au cours des pires déchéances.

Dans notre éducation chrétienne, il est certes toujours question de devenir meilleur, mais ce projet ne nous est pas donné comme une expérience fondée sur des connaissances rigoureuses. Or la vie spirituelle, c'est l'intense désir d'accéder de façon indiscutable à la Réalité ultime telle que la présente la tradition à laquelle on se rattache. Prenons, par exemple, une parole qu'on attribue à différents Pères de l'Église mais qui revient à saint Irénée : « Dieu s'est fait homme pour que l'homme puisse se faire Dieu. » Aucun théologien ne peut récuser cette parole. Mais que signifie-t-elle ? Que peut faire un chrétien d'une telle affirmation ? Cela peut paraître totalement délirant de se dire : « Je vais devenir un dieu », mais si l'on considère que cette phrase fait référence non pas à la Réalité ultime de la matière ou de l'énergie mais au fait même d'être incarné en tant qu'être humain, alors nous pouvons y voir comme le secret de l'être, de la vie et de la conscience. C'est cette recherche-là qui m'a attiré dès ma jeunesse.

Dans ce domaine, certains prendront une orientation radicale en considérant qu'on est éveillé ou qu'on ne l'est pas, sans demi-mesure ni degrés possibles. D'autres estiment qu'on peut apporter des changements, progresser dans son être. En vérité nous ne sommes pas plus ou moins nus, mais nous sommes plus ou moins vêtus ou dévêtus. Si je commence à enlever mes vêtements, j'ai déjà amorcé un processus menant à une rupture totale : tout d'un coup, c'est fini ; il n'y a plus rien à ôter, je suis nu.

Rapide ou lente, il existe donc bien une voie de changement, d'amélioration, de transformation, de métamorphose. L'idée qu'on peut passer d'un niveau d'être à un autre, qu'on peut mourir à soi-même pour accéder dans cette existence à un autre niveau d'être, se retrouve dans tous les enseignements spirituels. L'image souvent utilisée depuis si longtemps pour l'exprimer est celle de la transformation de la chenille en papillon à travers la chrysalide. On peut concevoir l'amélioration d'une chenille, guérir une chenille malade, la rendre plus apte à glisser sur les feuilles. On peut aussi admettre qu'à travers la crise de la chrysalide une mort à un niveau d'être et une naissance à un autre niveau sont possibles. Ce sont deux approches orientées vers des buts différents.

Aujourd'hui on voit fleurir quantité de pratiques de développement personnel, de techniques du mieux-être, de stages d'épanouissement dans lesquels il s'agit beaucoup plus d'améliorer la chenille que de la transformer en papillon. Car cette métamorphose est une tout autre entreprise réclamant un don de soi total, une mise en cause radicale de sa perception et de sa conception de la réalité, et elle demande qu'on sorte courageusement de tous ses cadres habituels. Notre époque confond le «psy» et le «spi», elle voit même des tentatives de synthèse entre les tendances spirituelles. Ma recherche ne se réclame pas de ces pratiques contemporaines, elle relève d'enseignements traditionnels éprouvés à travers des siècles. Je les ai reçus au cours de tous les entretiens nombreux et poussés que j'ai pu avoir avec des moines chrétiens, des swâmis hindous, des rimpochés tibétains et des maîtres soufis afghans.

Au cours de mes voyages, j'ai toujours été bien accueilli. Je finançais mes expéditions avec les films que je tournais pour la Télévision, mais sans équipe afin de ne pas déranger mes interlocuteurs. J'allais vers eux avec beaucoup de respect et d'humilité. J'étais tout à la fois cameraman, preneur de son, électricien, tout cela avec l'accord des syndicats de la Télévision car mes reportages étaient considérés comme des explorations. Mais avant d'être cinéaste, je me situais en apprenti ou candidat disciple, chercheur de vérité. À un moment donné, en 1945, je me suis engagé auprès de Swâmi Prajnânpad, au Bengale. Il parlait anglais, si bien que, en neuf ans, j'ai pu avoir avec lui plus de trois cents entretiens en tête à tête. C'est lui qui m'a vraiment conduit. Il m'a permis de rendre cohérentes toutes les influences précédentes, d'en faire la synthèse et surtout de les transformer en une pratique plus organisée et plus subtile qui a fini par porter ses fruits.

Je parle là d'enseignements traditionnels ayant fait leurs preuves au fil des siècles, incarnés par des générations de maîtres, très ou peu connus, de véritables sages considérés comme totalement accomplis, des êtres, hommes ou femmes, qui ont une présence et un rayonnement remarquables. Ces rencontres m'ont convaincu plus que les livres. C'est par elles que j'ai vu et que j'ai cru. Plus que toutes les autres, celle de Swâmi Prajnânpad m'a permis de coordonner les acquis de mes recherches antérieures faites de lectures et d'échanges.

J'ai ainsi découvert que nous pouvions nous engager dans la recherche d'une connaissance de soi de plus en plus subtile. Pour mieux saisir le sens de cette connaissance, nous pouvons nous référer à la différence entre le mystique et le théologien dans l'univers chrétien. On pourrait concevoir un théologien qui n'aurait aucune vie religieuse personnelle, qui chercherait simplement à mieux comprendre ou à mieux élaborer la doctrine. Sur la voie, il s'agit d'autre chose. Pour le disciple l'instrument essentiel de cette connaissance de soi, c'est l'attention. De nombreux termes expriment cette idée : « conscience de soi », « hyperconscience », « présence à soi-même », « veille », « vigilance ». C'est un intense surcroît de conscience. La littérature chrétienne la prend en compte. Ainsi Grégoire le Grand écrit dans ses Dialogues au sujet de saint Benoît, père de la tradition bénédictine et cistercienne : « C'est pourquoi je puis dire de cet homme vénérable que toujours attentif à veiller sur lui-même, ne laissant pas distraire au-dehors le regard de son âme, il habitait avec lui-même... » C'est là une description de ce que les bouddhistes appellent l'« attention », de ce que les maîtres hindous appellent awareness ou mindfulness. C'est l'idée essentielle : laisser l'attention prendre de plus en plus de place dans une existence qui devient pleine conscience de chaque instant. L'idée fondamentale est qu'un mode de perception et de conception erroné (qualifié souvent de « sommeil » ou d'« illusion ») fasse place à l'intelligence lucide, capable de connaître la vérité une et immuable recouverte par le jeu changeant et contradictoire des apparences.

Jean-Louis Cianni

Arnaud Desjardins a bien raison de fustiger nos errements contemporains. Qu'elle est lassante, cette recherche du développement personnel! Qu'il reste vain et limité, ce mix sans relief où se touillent psychologie de base, impératif managériaux et exigences éthiques! Qu'il est affligeant, ce foisonnement de techniques supposées guérir l'âme de ses maladies! Une mode insistante voudrait de surcroît que la vieille et bonne philosophie entre elle aussi dans la danse mercantile, qu'elle tienne un stand de vente sur le grand marché de la sérénité.

Il est vrai que, durant près de mille ans, la philosophie antique, grecque puis hellénistique et enfin romaine, s'est conçue et pratiquée comme une thérapie de l'âme. Michel Foucault et Pierre Hadot ont été parmi les premiers à mettre en lumière cette dimension oubliée de la philosophie antique. «Il est vide le discours du philosophe qui ne soigne aucune affection humaine», estimait Épicure. «C'est un cabinet médical que l'école du philosophe», affirmait de son côté le stoïcien Épictète.

Les écoles antiques n'enseignaient pas seulement une vision du monde, ni un discours particulier sur le monde, mais aussi et surtout un ensemble de pratiques, d'exercices – c'est le sens du mot «ascèse» – transmis au sein de la communauté. Le cynique Diogène s'exposait de longues heures au soleil ou dans la neige pour s'endurcir. On pourrait le comparer à un moine zen dont les exercices incluent une praxis du corps. Mais dans la plupart des écoles, les exercices portaient sur l'âme comme lieu de structuration des affects. À travers eux, il s'agissait de prendre soin de soi, d'appliquer son esprit d'une manière particulière pour se rendre heureux – c'est l'épicurisme – ou vertueux – c'est le stoïcisme. Pour atteindre ce but, il convenait de se guérir de ses «maladies» mentales que sont les illusions, la passion, la peur, les fantasmes, etc. La pratique philosophique revenait à produire dans l'âme une catharsis, terme mixte empruntant à la purge médicale et à la purification spirituelle.

Cette tradition thérapeutique commence avec Socrate et son célèbre «Connais-toi toi-même». Socrate inaugure une lignée de pratiques relevant du soin à porter à soi-même, l'epimeleia heautou des Grecs ou encore le cura sui des Latins qui ne sont que des avatars du «Connais-toi toi-même». Il faut sans doute là faire une pause étymologique. La «méditation» philosophique trouve sa source étymologique dans le mot latin medeor (soigner) d'où provient aussi le terme «remède». Dans la langue grecque, la mélété préfigure la meditatio latine.

Dans ce sens, méditer, ce n'est pas penser à ceci ou à cela, emplir son esprit d'un contenu de pensée quel qu'il soit. C'est exercer le pouvoir de représentation de la pensée, rendre présent ce qui ne l'est pas. La méditation fait venir à la conscience des pensées qui n'y étaient pas ou qui ne pouvaient pas y être. Ainsi méditer marque une reprise et un lâcher. C'est revenir vers soi et, dans cette réflexion, changer son optique initiale.

Un des moyens privilégiés de cette pratique résidait dans l'entretien avec soi-même, le dialogue intérieur. Là encore, il s'agit d'une très ancienne tradition qui remonterait à Pythagore, initiateur de l'examen de conscience. La méditation à l'antique permet d'ouvrir une discussion avec soi, d'aménager une relation discursive. Pour Platon, penser consiste à parler avec soi-même. La méditation antique pouvait également prendre une forme écrite. Dans ce qu'on a appelé ses Pensées pour moi-même, en réalité des notes personnelles qui n'étaient pas destinées à être publiées, l'empereur stoïcien Marc Aurèle témoigne de l'importance de la méditation écrite et de ses modalités.

Durant un millier d'années, la philosophie s'est donc proposée comme une pratique thérapeutique. À travers elle, l'individu pouvait se libérer de ses illusions et de ses passions et s'élever à un autre niveau d'être. La philosophie reconnaissait l'existence d'un réel hiérarchisé comprenant trois degrés : le sensible, l'intelligible et le spirituel, le sens de la vie consistant à s'élever du premier au dernier. Cette pratique peut-elle aujourd'hui être réactivée ? Non, si nous prenons les choses à la lettre. Notre subjectivité, notre mode de vie, notre société modernes n'ont plus qu'une très lointaine parenté avec leurs équivalents antiques. Revivifier une telle pratique philosophique serait parfaitement ridicule et tournerait rapidement au péplum spirituel. En reprendre l'esprit reste au contraire tout à fait possible et bénéfique.

C'est ce que j'ai pour ma part tenté de faire. Confronté à une épreuve personnelle, je suis allé chercher dans les exercices spirituels antiques des références et des modèles pour m'aider à endurer la réalité, structurer autrement mes pensées, corriger mon attitude. L'écriture a canalisé cette recherche. Avec le recul, cette période d'introspection, d'analyse de la situation, de dissection des états intérieurs a été profitable. Elle m'a permis de mieux comprendre la situation et de me remettre en mouvement. Mais les « techniques » utilisées tenaient de l'adaptation personnelle, elles relevaient plus du bricolage intérieur que d'une application au pied de la lettre des préceptes antiques. En outre, je n'ai jamais eu la prétention de fonder une philosophie « néo-antique ». Il s'agissait d'abord pour moi de m'en sortir sans prétention universelle. Mais aussi de m'en sortir par moi-même. Là est sans doute le premier intérêt de la philosophie, qu'elle soit antique ou moderne. Cette expérience très personnelle s'est faite sans organisation préalable, sans plan précis, mais elle a fini par prendre sa propre cohérence et sa propre autorité. La philosophie à laquelle je fais référence n'est pas celle de l'université. N'étant pas un philosophe professionnel – mais seulement de formation –, je n'avais pas d'effort à faire pour surmonter l'inhibition particulière qu'il pourrait y avoir à dévoyer une discipline. C'était un pari, j'étais engagé, j'avais le sentiment que je ne pouvais pas faire autrement. En revenant puiser dans le vieux stock philosophique, je puisais dans des ressources intérieures que j'avais oubliées.

Cette philosophie constitue-t-elle une voie ? Je ne le crois pas. L'analogie que je ferais est davantage liée au temps qu'à l'espace. Ce fut une période, une phase. J'ai traversé l'épreuve. J'ai été instruit par elle. Aujourd'hui j'en connais d'autres, le front se déplace sans cesse. J'aménage des temps philosophiques dans ma vie de tous les jours, au travail, dans mes relations avec les autres. C'est une pratique irrégulière, faite de lectures et de réflexion sur soi. Débouche-t-elle sur une transformation ? Cela dépend du sens que l'on donne au mot… Certes, l'analyse de soi permet de s'apaiser, d'y voir plus clair, de se remettre en marche, de mieux jouer sa partie. Mais il semble difficile de nommer « métamorphoses » ces changements de conduite ou de vision des choses. Ces modifications restent très relatives. Ce qui n'empêche pas qu'on puisse s'en contenter.

Cette vertu thérapeutique de la philosophie peut s'élargir à d'autres champs d'application. Le monde contemporain est finalement existentialiste. Notre vie consciente est projection incessante, mouvement hors de soi-même, c'est l'étymologie du mot « exister » (exsistere, « être hors de »). Et puis chacun de nous incarne un paradoxe : celui d'être un individu, un être coupé des autres mais aussi de lui-même. À cela s'ajoute un environnement particulier, magma d'informations et de divertissements, qui nous déjette de nous-mêmes, nous distrait en permanence, nous externalise. Sous cet angle, la philosophie, conçue comme une pratique de réflexion, peut permettre à chacun d'effectuer des pauses salutaires dans ce mouvement brownien. Penser sert à se reconstituer soi-même, à se remettre en relation avec soi, à se corriger. Dans ce sens, la philosophie peut aider à mieux vivre, à affronter le réel et son lot d'épreuves. Pour autant cette «thérapie» ne saurait être efficace pour guérir des affections mentales profondes. On passe là sur un autre registre qui n'est pas celui de la philosophie. Est-elle nécessaire et suffisante pour réduire la souffrance? Il revient à chacun de répondre. Car la philosophie ne fait pas de miracles ni ne cherche à en faire. À la différence des pratiques de développement personnel, voire de la psychanalyse, elle est d'abord une entreprise personnelle, où chacun tente de se donner sa propre autorité. Ce sont là ses limites, mais des limites clairement posées, explicitées et assumées.

Comme la philosophie, le chemin choisi par Arnaud Desjardins s'oppose aux pseudo-techniques de libération de l'âme malade. Ce n'est pas pour autant que la voie spirituelle et le cheminement philosophique se confondent. Sur le versant spirituel, les mots même d'«éveil», de «libération», de «purification» prennent comme une sur-brillance, ils se chargent d'une intensité intérieure peu commune pour le philosophe. Et plutôt que de passer d'un niveau d'être à un autre, la philosophie permet de tenter plus simplement d'occuper tout entier l'étage humain. D'être pleinement chenille et de ne rien rêver d'autre que cette coïncidence de soi à soi. Être pleinement chenille, c'est questionner son propre état, c'est apprendre chaque jour un peu plus à vivre cette vie. Apprendre à vivre pour le philosophe, c'est aussi apprendre à penser sa vie et à la penser par lui-même. Cela ne signifie pas pour autant que le philosophe pense sans les autres. Il n'est pas meilleur moyen pour apprendre à penser que de voir comment les autres pensent. C'est pourquoi le philosophe cherche, lui aussi, à se relier à une tradition, même si c'est souvent pour la contester…

Arnaud Desjardins s'est totalement investi dans une expérience hors du commun. C'est une aventure personnelle singulière et, à ce titre, elle ne saurait nous être étrangère. La chenille, lourde et lente, reste curieuse. Le papillon s'est déjà envolé, il faut le suivre.

2
Purifier ses émotions

Pour Arnaud Desjardins, la pratique spirituelle consiste avant tout à purifier ses émotions. Si nous sommes des êtres sensibles, si les émotions nous caractérisent, comment cette catharsis est-elle possible ? Et pourquoi serait-elle souhaitable ?

Arnaud Desjardins

Ce qui compte ici, c'est que les affirmations des sages soient des affirmations vérifiables par vous-même si vous mettez en pratique ce qui vous est proposé. En elle-même, la sagesse est impersonnelle. Les paroles qui transmettent l'enseignement, tel ou tel les prononce mais elles ne lui appartiennent pas, il n'en est pas l'auteur. Ces paroles expriment une réalisation ouverte à d'autres qui pourront vérifier si ce qui est dit est vrai. La pensée de « quelqu'un » est pour un hindou une aberration. Le sage est sorti du monde habituel des pensées personnelles. Certains sages ont été ou sont intellectuellement brillants et leurs ouvrages n'ont cessé d'être lus, étudiés, commentés au fil des siècles. Mais le sage n'est pas avant tout un penseur original. La sagesse est au-delà de la rigueur ou de la virtuosité intellectuelles : elle exprime une vision, un accomplissement intérieur. La parole ne sert qu'à expliquer cette vision. Un sage pourra enseigner à l'aide de paroles très brèves et très fortes, un autre sera plus explicite. On trouve de grandes variations même entre deux maîtres tibétains, elles s'accroissent encore avec un maître soufi. Mais dans tous les cas, il ne s'agit pas d'exprimer les pensées propres d'Untel ou d'Unetelle. Ce que le sage énonce ne lui appartient pas, il ne fait que confirmer la tradition par sa réalisation personnelle – ou plutôt impersonnelle.

Quand on parle de pratique spirituelle, on s'aperçoit qu'il est toujours question d'un surcroît de conscience, d'une attention plus intense dans une situation donnée, aussi bien au sein d'un moment de colère ou d'inquiétude que d'une émotion heureuse. C'est comme une lampe qui s'allume pour éclairer tout le dedans de l'être. Mais il faut aller plus loin, et c'est là encore un invariant de tous les enseignements spirituels : il faut un dépassement des émotions qui sont toujours une expression de l'égocentrisme. On peut améliorer ses performances intellectuelles en formant son esprit à bien penser – c'est le but de la logique –, mais cette amélioration ne peut se poursuivre indéfiniment. On peut perfectionner le fonctionnement de son corps, améliorer ses performances physiques grâce à une hygiène de vie, en pratiquant le yoga ou, dans le cas d'un sportif, en poussant son entraînement, mais là aussi les progrès atteignent une limite. Ainsi, dans les deux cas, nous demeurons dans le monde de la mesure. Or l'énergie fondamentale qui nous anime se manifeste aussi au niveau du cœur, des sentiments et des émotions, et là d'immenses possibilités nous sont ouvertes.

En Occident, la philosophie reste souvent une pratique intellectuelle, elle ne prend pas concrètement en compte l'émotion et se construit sans référence élaborée au cœur. La tradition hindoue, par exemple, est bien différente. Les Upanishads en témoignent ; cette tradition n'exclut certes pas la rigueur intellectuelle mais elle s'ouvre à d'autres champs. Une des notions les plus représentatives de cette tradition se dit satchitânanda, elle est faite de la fusion de trois mots : sat (l'être ou le réel, relatif ou absolu, changeant ou immuable), chit (la conscience) et ânanda qu'on pourrait traduire par « béatitude du cœur ». Dans les congrès et colloques, sur les deux premiers éléments la discussion avec les Occidentaux est toujours possible, elle ne pose pas problème, mais quand on arrive à ânanda, les Occidentaux ne suivent plus. Selon eux, la question sort du champ de la philosophie.

Sur ce qu'on désigne par le « chemin » ou la « voie », tout se joue dans le travail de purification des émotions. Car l'intellect ne peut avoir le monopole de l'expérience de la réalité, il faut que l'intelligence du cœur participe. Quels philosophes contemporains ont proposé une méthode précise, une technique, pour dépasser son égoisme, sa mesquinerie, sa jalousie, sa subjectivité, ses emportements ? J'ai rencontré des philosophes et même des théologiens de renom mais je n'ai pas perçu à leur contact le rayonnement qui émanait des maîtres spirituels que j'ai approchés ou même de simples frères convers d'une abbaye.

L'homme occidental a la prétention d'être libre. Or il peut être facilement démontré à celui qui veut en faire l'expérience que cette liberté n'est qu'une illusion. Nous ne sommes en réalité que des machines à réagir aux circonstances en fonction d'un conditionnement individuel. Ce constat que les psychologues ont commencé à établir en Europe seulement au siècle dernier prévaut en Asie depuis des siècles. Beaucoup aujourd'hui s'engagent sur la voie de la spiritualité, convaincus qu'ils sont libres. Un minimum d'étude de soi objective suffit pour nous amener à la conclusion que nous ne le sommes pas : nos réactions intimes, nos désirs et nos refus, c'est le courant de l'existence qui nous les impose moment après moment. La libération que nous recherchons passe par une purification des émotions. Le maître spirituel est un homme ou une femme établis dans l'égalité d'âme et l'amour pour tous. Et cette purification s'opère en réduisant son égocentrisme.

L'éradication des émotions pour libérer la paix intime et l'équanimité définitives paraît impossible et difficilement compréhensible – ou même inadmissible – à un Occidental. Pourtant est-ce que vous affirmeriez que le papillon est l'anti-chenille ? Je prendrai là une autre image connue : le vrai destin du gland n'est-il pas de devenir chêne ? La plus haute possibilité d'un gland n'est pas de prendre un diamètre de plusieurs mètres, c'est de devenir un arbre de vingt mètres de haut. L'accomplissement proposé ici est de cet ordre. On retrouve l'idée d'une mort à un certain niveau d'être pour s'épanouir à un autre niveau.

Il faut du courage à la chrysalide humaine pour devenir papillon, même si sa transformation est un processus
naturel. Or nous pensons que nous avons tout de suite
un niveau de conscience accompli. Les premiers pas sur
la voie nous en montrent les limites. L'être humain, même
brillant, même supérieur sur le plan intellectuel, reste
inaccompli comme un gland qui meurt sans donner un
chêne. Le sage est, lui, un homme achevé. Pour le devenir,
il faut se libérer, croître hors de ses limitations. Lors d'un
entretien, Swâmi Prajnânpad m'a dit : « Vous ne sacrifiez
pas quelque chose qui a encore une valeur pour vous, vous
le dépassez. » Je me suis alors souvenu d'un moment de
mon enfance. Vers l'âge de onze ans, je n'étais pas doué
pour la gymnastique et j'en souffrais. Mais j'étais très bon
sur des patins à roulettes et ce sport a donc joué un grand
rôle pour moi entre dix et quatorze ans. Puis je suis passé
à d'autres activités mais je n'ai jamais estimé avoir « renoncé » au patinage, il n'y avait là aucun sacrifice, rien de cruel.
J'étais passé au-delà, j'avais tourné la page.

Ce dépassement de soi n'est plus quantitatif. Il s'effectue dans un autre univers que celui de la mesure. Dans le
domaine du cœur, il est possible de dépasser toute mesure.
La paix du cœur, la compassion, la béatitude peuvent être
infinies. Nous ne sommes plus alors impliqués dans ce qui
relève du temps, de l'espace et la causalité. Nous découvrons une réalité intérieure évidente, indiscutable, qui se
révèle à nous. C'est un sentiment mais qui ne comporte
aucun contraire, illimité et définitif. Pour le définir, Swâmi

Prajnânpad faisait un geste extrêmement simple : il montrait son poing fermé et ouvrait peu à peu sa main. Ce geste nous indique qu'il y a bien une progression mais, quand la main est complètement ouverte, nous ne pouvons aller plus loin, nous sommes au-delà de toute mesure.

Nous entrons alors dans le domaine de la métaphysique. Le domaine de la physique est celui de la mesure, quelle que soit l'unité de mesure et, pour commencer, celles qui régissent le temps et l'espace. Le monde physique est aussi celui de l'attraction et de la répulsion. Il n'existe pas de mouvement sans attraction. Méta-physique désigne donc un domaine au-delà – ou en deçà – de la mesure, de l'attraction et de la répulsion. Or tout notre vécu intérieur se déroule dans le monde de la mesure incessante : je suis très heureux, moins heureux, encore plus heureux ou malheureux. La sagesse consiste à faire l'expérience d'une conscience non impliquée dans la mesure, libre de l'attraction et de la répulsion et d'un amour ou une compassion qui ne vacille plus.

Jean-Louis Cianni

Comment ne pas entendre la critique du monde de la mesure ! Tout dans notre existence se voit désormais calibré, compté, chronométré et surtout chiffré. C'est l'esprit quantitatif qui organise la matière et le vivant, l'économie et le mode des vies des hommes, c'est lui qui définit le sens général, des plus petits plaisirs jusqu'aux pires abominations. La logique dominante qui formate nos pensées et nos comportements est purement quantitative. La quantité vaut comme principe et comme finalité, comme norme et comme dogme : hors d'elle, point de salut ! C'est un levier puissant de grégarisation parce que, dans le monde qu'elle organise, il n'est pas nécessaire de penser, il suffit de calculer, de mettre en marche une pensée purement opératoire. Quelle misère et quel ennui !

Mais il est pire. Toute notre vie s'immerge peu à peu tout entière dans ce que Marx nommait les « eaux glacées du calcul égoïste », la grande mer de l'intérêt personnel et de la rentabilité immédiate. Il faut voir là la conséquence d'une rationalisation sans fin du monde humain. Mais pas seulement d'une rationalisation générale et abstraite. Les processus à l'œuvre relèvent de l'intentionnalité d'un pouvoir qui instrumentalise la raison à des fins de normalisation et de contrôle des individus. Excès et danger de la raison mesurante contemporaine au service non plus de l'échange entre les hommes mais d'une mécanique sociale qui les fait disparaître.

Et sur ce plan, il faut bien reconnaître que la bonne et vieille philosophie a joué et joue encore un rôle de servante modèle et de muse inspirée. Logos grec, cartésianisme, culte du progrès, positivisme : pendant deux millénaire elle a favorisé, accompagné, amplifié, enchanté et parfois divinisé la domination de la raison.

La philosophie n'a jamais fait bon accueil à la sensibilité, ni à la passion et encore moins aux émotions, trois notions qui restent intimement liées dans la pensée occidentale, entre lesquelles les différences sont plus de degré que de nature. Il lui a fallu des siècles avant de les considérer comme des objets dignes d'intérêt et d'étude et encore plus pour leur reconnaître efficience et positivité. Pour autant, la philosophie n'élimine jamais l'affectivité. Prenons l'exemple de Platon, le plus intellectualiste et le plus sublimant sans doute de nos penseurs occidentaux. Platon imagine l'âme humaine composée de trois parties qui sont autant de facultés ou de fonctions : la pensée rationnelle, le cœur et le désir. Il compare cet assemblage à un cocher ailé dirigeant comme il peut un attelage de deux chevaux, pourvus d'ailes eux aussi, l'un blanc, fougueux mais discipliné, représentant le cœur, l'autre noir, violent et rétif, incarnant nos désirs. La raison conduit l'âme, elle doit maîtriser ses énergies obscures et ses appétits. Mais il ne s'agit jamais de les purifier. Le cœur et le désir restent des forces non seulement motrices mais au service de la volonté d'élévation qui caractérise l'âme humaine. Les affects les plus violents ou les plus bas sont encore des constituants de notre nature. Comme le cocher de Platon nous devons faire avec, les raffiner, les dépasser, les transformer.

La philosophie du XXe siècle, en particulier les phénoménologues existentialistes, a réhabilité l'émotion. À l'image de Sartre notamment pour qui l'émotion n'est pas un fait psychique observable par introspection ou mesurable de l'extérieur, ce n'est pas non plus un désordre mental, un état aberrant, c'est une « forme organisée de l'existence humaine » et un faisceau de significations. Un corps en lui-même ne peut être ému, l'émotion n'est possible que par et pour un être conscient. Loin d'y voir un obstacle, l'existentialiste fait de l'émotion une voie d'accès au monde, un «phénomène signifiant».

Si l'émotion n'est pas un mode de ressentir dégradé ou dévalué, mais au contraire un changement pour et au sein de mon être, s'il est toujours porteur d'une signification, il me semble impossible et pas forcément souhaitable de se donner pour objectif de l'éradiquer. D'ailleurs, n'est-ce pas cela même mourir : ne plus rien sentir, ne plus rien souffrir ? J'ai toute l'éternité pour perdre mes émotions. Et de ce point de vue, rien ne presse…

Je suis ce que je dois être, je dois vivre ce que l'existence m'a donné, mes émotions, mes passions, mes sentiments. Pourquoi détruirais-je ce qui fait ma nature ou ma condition ? Mes émotions me relient au monde, mes sentiments aux autres et mes passions donnent un sens à ma vie. Je ne vois là rien de négatif dès lors que cette affectivité n'est destructrice ni pour moi-même ni pour les autres. Même si de trop grandes émotions m'effraient et si de trop petites m'ennuient, l'émotion reste la forme la plus ancienne et la plus immédiate de ma relation au monde. Et puis, comme dit Montaigne, «toujours la variation soulage, dissout et dissipe», une passion chasse l'autre et chacun sait d'expérience que c'est le sentiment qui guérit le sentiment.

L'expression «purification des émotions» me paraît également redoutable. Par éducation autant que par expérience, nous restons prudents dès qu'on brandit le flambeau de la pureté. Mais nous refusons tout autant de condamner la raison au profit du seul cœur. Sont-ils d'ailleurs vraiment opposables ? Quand on dit que «le cœur a ses raisons» on reconnaît bien qu'il a une logique… Sur un plan éthique, le cœur n'est pas le gage de la pureté – il est des crimes d'amour et de passion. Aurait-il une valeur de vérité supérieure ? La littérature nous montre au contraire que le cœur vit de masques, de malentendus, de quiproquos… Sur un plan pratique, le cœur a ses revers : tourments, cruauté, tristesse font son ordinaire. À l'inverse, la raison n'est jamais complètement coupée de l'affectivité et sous l'apparence du rationalisme se cachent de puissantes machines désirantes. Raison n'est pas ratiocination. Intelligence ne se confond pas avec intellectualisme. L'usage de la raison nous est précieux y compris dans les affaires de cœur. Elle nous aide aussi à reconnaître notre semblable dans sa différence et dans ses droits.

Le cœur et la raison constituent donc notre nature et, à ce titre, ils ne peuvent ni l'un ni l'autre échapper à l'examen critique. Pourquoi refuser de penser, voire de raisonner, si penser et raisonner servent à mieux vivre ? Vivre des émotions personnelles ou collectives, apprendre d'elles, s'en garder ou les rendre plus intenses, telle est la tâche humaine par excellence.

Arnaud Desjardins aurait-il eu accès à une réalité qui nous échappe ? Sa quête longtemps brûlante et inflexible force le respect. Aujourd'hui aboutie, elle n'en garde pas moins les traces d'une attente et d'une souffrance qui englobent les nôtres. C'est plutôt de moi-même que j'aurais à douter. Mais, paradoxe de l'esprit, plus je doute et plus je me fais confiance. Plus mon esprit s'interroge et plus il se stimule. Je poursuis donc ma maladroite reptation. Après tout, rien ne presse. Le surplace aussi a ses avantages et ses plaisirs.

3

Devenir océan

La sagesse est-elle une expérience de soi, du monde ou d'un autre ordre de réalité ? À quelle région de l'être nous donnerait-elle accès ?

Arnaud Desjardins

J'affirme que le cœur nous permet de sortir du monde de la mesure pour accéder à un autre niveau d'être et de conscience. La paix du cœur, la compassion, la béatitude peuvent être infinies. Les atteindre, c'est ne plus être impliqué dans ce qui relève du temps, de l'espace et de la causalité. Une autre réalité intérieure se révèle à nous. Ce niveau ultime, c'est ce que désigne le mot sanskrit âtman qu'on a traduit par the Self ou « le Soi ». La grande équation des Upanishads, c'est que l'âtman est brahman. Ces termes peuvent donner lieu à bien des confusions car il existe une opposition officielle entre les hindous qui affirment l'âtman et Bouddha qui l'a nié catégoriquement. En vérité, âtman signifie ce qui n'existe que par soi-même et non pas en fonction de quelque chose d'autre, ce qu'exprime le terme anâtman.

Tout ce dont nous pouvons prendre conscience doit son existence à un très grand nombre de causes et n'existe que dans l'interdépendance générale : je constate que je tousse; cette toux provient, d'une part, d'une fragilité pulmonaire qui m'est propre et, d'autre part, d'un refroidissement de température alors que je n'avais pas emporté de lainage. Il n'est pas un aspect de ce monde phénoménal naturel qui ne soit produit, qui ne résulte d'une cause. Or, le Bouddha l'a affirmé dans une parole célèbre: «Il existe bien un Non-Né, Non-Fait, Non-Devenu, Non-Composé et, si celui-ci n'existait pas, il n'y aurait aucune évasion possible hors du né, du fait, du devenu, du composé.» Ce Non-Né est la définition la plus parfaite qu'on puisse donner de l'âtman des Upanishads.

Une autre paire de termes se révèle fondamentale pour comprendre ce que nous entendons par la «vraie nature de l'esprit»: nitya (ce qui est éternel) et anitya (ce qui n'est pas éternel). Même si des choses ou des situations peuvent durer plus longtemps que d'autres, tout ce qui fait nos existences, tout ce dont nous pouvons prendre conscience est non éternel, changeant, évanescent. Dès lors, est-il possible à l'être humain d'avoir une expérience personnelle de ce qui n'est que par soi, totalement autonome, de ce qui est éternel, hors de la naissance et de la mort, d'avoir une expérience de l'âtman et de nitya? Car si je pose cette question dans ces termes mêmes «avoir l'expérience de», je tombe déjà dans un piège que je crée moi-même. Le fini ne peut avoir l'expérience de l'infini. Cette réalisation transcende la dualité. Il est sans doute possible de faire une expérience de supra-conscience sous l'effet de drogues comme le LSD ou la mescaline, mais ce voyage a une fin et, quand il s'achève, la conscience retrouve son état initial. Or, j'évoque un état de stabilité irréversible, d'égalité d'humeur, d'équanimité et de vision totalement indépendant des circonstances et des situations.

J'en ai fait moi-même l'expérience, il y a quelques années, quand j'ai manqué mourir d'un œdème pulmonaire aigu. Je sentais l'eau monter dans mes poumons comme si j'étais en train de me noyer. Les secours que mon entourage avaient appelés ont nécessité quelque temps pour arriver. Cette pensée m'est venue : « Toi qui as écrit sur la sérénité qu'on doit garder face à la mort, tu vas perdre ton calme ? » Je me suis laissé aller sans résistance à la situation. J'étais prêt. Et je suis resté dans cet état jusqu'à ce que l'œdème se résorbe grâce à l'intervention du médecin. Ma suffocation physique était terrifiante mais, à l'arrière-plan, je n'étais pas du tout affecté. À ce moment-là, j'ai éprouvé la réalité et la force de cette transformation intérieure promise par les enseignements spirituels.

La comparaison la plus significative pour rendre accessible cette transformation est celle de la vague et de l'océan. Certes, l'océan fait partie du mesurable et il est bien situé dans le temps et dans l'espace. Mais pour les besoins de la comparaison, disons qu'il représente ce qui demeure, ce qui est. Les vagues, elles, naissent, s'élèvent et retombent. Toute vague, au bord de la plage ou en haute mer, simple ondulation ou véritable déferlante, a son être dans l'océan. L'océan peut dire à la vague : « Je demeure en toi et tu demeures en moi. »

La vague, au contraire, n'a conscience d'elle que comme vague. Elle est née à un certain jour et à une certaine heure et sa durée de vie est limitée. Elle se sait distincte des autres vagues à ses côtés, de celles qui la précèdent ou la suivent. Chaque individu est comme une vague particulière, une femme ou un homme, un jeune ou un vieux, avec des caractéristiques personnelles. Mais ce n'est qu'une vague qui ressent la double limite spatiale et temporelle de son être. Cette vague ne peut avoir l'expérience de l'océan. Pourtant elle peut se découvrir comme une expression de l'océan infini et éternel. L'océan alors se révèle dans la vague.

Le sage, c'est la vague qui sait de tout son être qu'elle est l'océan. Le connaître et l'être pour lui sont identiques. Connaître brahman, c'est être brahman. La séparation n'existe plus entre un sujet qui connaît et un objet qui est connu, entre celui qui expérimente et ce qui est expérimenté. Le sage parle de cet état non pas seulement parce qu'il connaît la doctrine mais parce que cela fait partie de sa réalisation. Car il s'agit avant tout de mettre en cause l'état initial de dualité. Le moi, dont le fondement même est le sentiment de la dualité (du moi et du non-moi, de moi et les autres), ne peut accéder à cette réalité totalement autonome (âtman) et éternelle (nitya). Il lui faut saisir les limitations de sa dualité et les poser à l'intérieur de l'expérience de l'éternel et de l'infini. L'ego peut se transformer, il peut mourir à lui-même. Il n'est pas d'éveil, d'illumination, de libération sans cette disparition de l'égocentrisme.

Ce qui est libérateur, c'est la capitulation, l'abandon complet, le dépassement de tous les conditionnements. Il faut capituler devant l'Être, devant l'Être de mon être, devant « Dieu », devant « Je suis celui qui suis », quelle que soit la manière dont chacun peut d'abord se représenter et pressentir cette Réalité ultime au-delà de tous les concepts.

Jean-Louis Cianni

Dans un de ses livres, Bienvenue sur la voie, Arnaud Desjardins compare son expérience à celle de la navigation en haute mer. L'aventure de la sagesse telle qu'il nous la propose et telle qu'il l'expérimente, loin de suivre un long fleuve tranquille ressemble à un véritable Vendée Globe intérieur. Arnaud Desjardins y a consacré sa vie et son énergie, mobilisant une volonté inflexible et un désir ardent. Il a trouvé ce qu'il cherchait, atteint le niveau d'être où il voulait se hisser.

Les ambitions du philosophe sont beaucoup plus limitées et terre à terre. Il se contente de questionner, même s'il ne pose pas de limites à son interrogation. Ainsi, la plus belle des philosophies du monde ne pourra jamais donner que ce qu'elle a : un questionnement, c'est-à-dire beaucoup d'interrogations pour peu ou pas de réponses, si ce n'est la question elle-même, la question formulée, osée, répétée. Son but n'est ni d'obtenir ni de donner des réponses. Elle s'apparente à la recherche esthétique du peintre Soulages quand il déclare : « C'est ce que je trouve qui m'apprend ce que je cherche. » Cela ne signifie pas que la philosophie soit un exercice absurde ou inutile, mais souligne de façon claire sa méfiance à l'égard des vérités toutes faites, des dogmes et des manipulations idéologiques. Le questionnement toujours ouvert de la philosophie porte sur tous les aspects de la vie humaine, des plus immanents, quotidiens, futiles, jusqu'aux plus essentiels, historiques, transcendants. La philosophie elle-même et jusqu'au philosophe n'y échappent pas.

D'une manière générale, le philosophe reste sur ses gardes dès qu'on parle de religion et de spiritualité, pour des raisons à la fois théoriques et historiques. La philosophie trace, en effet, une autre voie, elle existe en se démarquant de la religion et de la spiritualité. Mais le philosophe n'a rien contre la foi, il se méfie surtout des Églises parce qu'il en a longtemps été la victime symbolique et quelquefois physique. Pour les mêmes raisons, il reste vigilant et critique à l'égard du pouvoir politique.

S'il ne sait pas ce qu'il cherche, le philosophe sait au moins ce qu'il ne cherche pas. Et il ne cherche pas à être sage. Ce renoncement remonte à Platon et il est constitutif de la philosophie. Pour Platon, le philosophe est un troisième personnage qu'il intercale entre le sage et l'ignorant. Deux grandes catégories d'êtres ne philosophent pas : les dieux et les sages, précisément parce qu'ils possèdent la sagesse, et les ignorants parce qu'ils sont persuadés d'être sages. Entre les pôles de la sagesse et de la non-sagesse marquant une opposition de contradiction, Platon lance la passerelle branlante de la philosophie, distincte à la fois de la sagesse et de l'ignorance. Le philosophe ne sait rien, mais il a conscience de son ignorance. La sagesse lui est donnée comme une norme transcendante, un idéal inaccessible, mais également comme un horizon motivant une recherche. Le philosophe est un chercheur de sagesse, ce n'est pas ou plutôt ce n'est plus un sage. Son nom même, d'«amoureux» ou d'«amateur de sagesse», porte la trace de cette dualité et de cette tension originelles.

Ainsi la sagesse dessine à la fois l'origine du projet philosophique et une finalité concrète abandonnée. Il y a un réel décrochage même si l'épicurisme et le stoïcisme peuvent apparaître comme des réactivations, des pratiques plus proches des sagesses orientales. L'histoire voit le sage céder la place au philosophe, et la sagesse devenir soit un idéal inaccessible, soit un comportement relevant d'une aspiration populaire sans grande dignité intellectuelle. Socrate se situe encore à la charnière, il apparaît comme un être hybride : sage incarnant la plus lointaine tradition pour les uns, penseur en rupture pour les autres. Il inaugure en tout cas une nouvelle attitude humaine, celle du questionnement, à laquelle aujourd'hui encore se réfère celui qui tente de philosopher.

Dans un de ses dialogues, Charmide, Platon nous montre Socrate en train de chercher à définir la sagesse. Socrate estime que celle-ci consiste à «faire ce qui est de soi». C'est une formule énigmatique. «Faire ce qui est de soi» revient pour chacun à faire ce qui lui est propre, c'est-à-dire à se mettre en adéquation avec soi-même, avec son désir, ses aspirations, son potentiel. On peut l'interpréter aussi comme ne pas faire ce qui est d'un autre, ne pas s'aliéner à la volonté d'un autre ou se perdre dans de faux désirs. Le message socratique peut s'entendre en un autre sens : accomplis ton être d'homme, et puisque la pensée nous distingue des autres êtres, utilise ta pensée pour te connaître et pour maîtriser les passions qui te rendent malheureux ou t'égarent ; c'est le célèbre « Connais-toi toi-même. » Pour Socrate, cette attitude prenait également un sens éthique : ne commets pas l'injustice. Ce programme à hauteur d'homme me convient et me suffit. Il implique beaucoup d'humilité et en même temps il incite au soin de soi-même.

Nous sommes là sur un sentier bien plus modeste que la voie ardue d'Arnaud Desjardins qui exige au contraire l'abandon de soi et la fusion dans un grand Tout impersonnel ou dépersonnalisé. Les deux routes serpentent en définitive autour du vide. La philosophie propose d'accepter le néant plutôt que de s'y perdre. De l'oublier ou de s'en détourner un moment pour donner un sens à sa vie. Le soin porté à soi-même à travers l'exercice de la pensée se distingue pourtant de l'égotisme ou de l'égoïsme. La chenille, si elle reste au sol, n'en reste pas à elle-même. En prenant soin de nous-mêmes nous découvrons que la transcendance est comme un mouvement naturel de notre esprit. L'excès nous constitue. Dès que notre pensée s'exerce, elle nous emporte dans une dynamique de dépassement. Chaque fois que nous pensons, y compris à nous-mêmes, que nous tentons de nous saisir nous-mêmes, nous allons au-delà de nous-mêmes. La pensée est la marque d'un potentiel de débordement. En outre, la pensée ne vient pas de nous, au cours des premières années de la vie, elle se construit lentement dans un échange originel avec la mère, échange préalable et constitutif. Penser, ce n'est pas adhérer à soi-même, se figer dans le bloc des signifiances, c'est avoir été invité dans un espace symbolique, c'est avoir intériorisé autrui. Penser, c'est toujours s'immiscer dans un faisceau de relations. C'est sortir de soi, c'est suivre en définitive le mouvement même de l'existence, mot qui signifie « se tenir hors de » (ex-sistere).

Pour moi, la chenille est donc aussi noble qu'un papillon, elle est déjà papillon, elle n'a pas à se transformer, elle a juste à éviter de s'avilir elle-même, de se caricaturer, de se violenter dans sa « chenillité ». Et, comme le fait Camus pour Sisyphe, on peut l'imaginer heureuse...

4

Le rôle du sage

À quoi reconnaît-on un sage ? Comment vit-il ? Est-ce un ermite, un inspiré, un fou de Dieu, un maître spirituel ? Participe-t-il à la marche du monde ou doit-il se retirer dans l'inactivité ?

Arnaud Desjardins

J'ai rencontré différents types de sages. Certains ne quittent pas leur ashram, d'autres sont des itinérants allant de temple en monastère ou passant d'un avion à un train. Le sage peut aussi bien fréquenter les mauvais lieux que les lieux sacrés. « Le maître zen ne fréquente plus que les bouchers et les prostituées et tout le monde est changé en Bouddha. » Le sage peut parler avec les autres, exercer une activité ; il n'a rien d'une statue. L'extase permanente n'est pas sa finalité. Mais parfois il peut aussi demeurer immobile et silencieux. Il devient alors une véritable œuvre d'art vivante. Le plus souvent le sage est merveilleusement naturel. Il existe des sages très célèbres comme le fut Mâ Ananda Mâyi, d'autres au contraire qui restent totalement inconnus. On en voit qui ne comptent que quelques disciples tout au long de leur vie alors que d'autres sont suivis par des milliers d'admirateurs. Certains ne se déplacent jamais et se fixent en un lieu à partir de leur éveil quand d'autres se déplacent facilement. Les soufis sont presque toujours mariés et ont des enfants. Des maîtres hindous ou tibétains vivent en couple mais d'autres abandonnent leurs familles. Il était admis en Inde qu'on puisse être totalement aspiré par l'éveil, tout laisser tomber et partir comme un fou sur les routes de temple en temple et d'ashram en ashram. Il est des sages qui travaillent, d'autres qui cessent toute activité pour recevoir leurs invités toute la journée, leur transmettre un enseignement ou les consoler. Tous les modes de vie sont acceptés.

Le sage ne cherche pas à transformer le monde mais nombre d'entre eux s'impliquent aujourd'hui dans la construction d'hôpitaux ou de dispensaires. Il est par ailleurs tout à fait possible que les disciples s'engagent en politique. J'ai connu un ministre de l'Éducation qui fréquentait l'ashram de Mâ Ananda Mâyi. Il était alors vêtu pauvrement et menait la même vie que les autres disciples. C'est là l'ancienne culture de l'Inde : dans une ville sainte vous croisez un homme hirsute, vêtu d'un petit pagne, qui nettoie son gobelet dans le Gange ou la Yamuna ; il s'agit de l'ancien président d'une Cour de Justice. Il a tout laissé. C'est comme s'il était mort.

À l'époque de Gandhi et de Nehru, on a reproché à Ramana Maharshi, pourtant célèbre et vénéré comme divin de son vivant, de ne pas prendre parti contre les Anglais. Il n'était pas concerné par la situation.

À certains moments de méditation ou de « contemplation », la sagesse peut être de se résorber uniquement à l'intérieur de soi. Les textes insistent sur cette recherche intérieure où le disciple doit tourner son attention vers le dedans pour découvrir l'impérissable et les maîtres nous en donnent le témoignage. Mais j'ai aussi rencontré des sages extrêmement actifs. Les Upanishads nous parlent d'un sage qui était en même temps un souverain. L'isolement n'est pas une condition suffisante pour devenir sage. Je peux vivre dans une grotte, solitaire et loin de tout, sans être pour autant éveillé. La sagesse ne se trouve que dans l'éveil inconditionnel, c'est un principe de base. L'éveil se révèle dans l'égalité d'âme parfaite, l'équanimité. Rien ne trouble le sage, il demeure imperturbable, toujours établi dans la paix des profondeurs, à travers le succès et l'échec, l'admiration ou l'insulte.

La sagesse, c'est une présence, un rayonnement. Par moments il passait dans le regard des sages que j'ai rencontrés quelque chose de «divin». Mais «divinité» est sans doute un terme trop emphatique et je peux recourir à un mot plus simple : la «bonté», la bonté essentielle, la bonté absolue.

Cette sagesse traduit une transformation réelle. À travers elle, il ne s'agit pas simplement, une fois encore, d'améliorer la chenille mais d'aller beaucoup plus loin. Cette démarche est-elle inhumaine ou surhumaine ? Mais comment faut-il comprendre l'humanisme ? Le sophiste grec Protagoras affirmait que l'homme est la mesure de toute chose. Mais de quel homme parlait-il ? De l'homme-chenille ou de l'homme-papillon ? Si nous nous référons à l'humanisme de l'homme non régénéré, de celui que la tradition chrétienne appelle le «vieil homme», alors l'humanisme est synonyme de limitation. Si, au contraire, on considère que la finalité de la vie humaine réside dans l'éveil, la «déification» comme le formulent les chrétiens orthodoxes, on pourra alors affirmer que la sagesse constitue l'accomplissement de l'humanisme. Si celui-ci concerne uniquement la chenille, il manquera quelque chose d'essentiel : la possibilité d'une transformation, d'un véritable changement de niveau d'être.

La plupart des hommes ont renoncé à l'idée d'une transformation possible. La tradition chrétienne nous donne l'exemple de la transformation possible du «vieil homme» en «homme nouveau», tout comme l'ésotérisme musulman distingue trois niveaux humains : l'«homme ordinaire», l'«homme intégral», l'«homme universel». L'Occident humaniste a oublié cette possibilité de transformation, de métamorphose que la sagesse antique et la mystique chrétienne intégraient et il méconnaît la sagesse orientale.

La sagesse à laquelle je me réfère sort des cadres limitatifs de l'humanisme. Quand j'ai découvert les groupes Gurdjieff, j'étais encore fasciné par l'existence mondaine. Tout ne m'a pas été donné sur-le-champ. J'habitais encore chez mes parents. J'avais posé un de mes livres sur la cheminée de ma chambre, ouvert sur une page où l'on pouvait voir une magnifique photo en noir et blanc de Mâ Ananda Mâyi. À cette époque, je rêvais de réussir une carrière de réalisateur de films. J'ai donc placé à côté de mon livre une autre photographie où l'on voyait André Cayatte et Sophia Loren descendre le célèbre escalier du Festival de Cannes. Je me suis dit qu'il fallait pousser l'honnêteté jusqu'au bout. J'ai acheté un magazine du type Lui ou Play-Boy, j'ai choisi une image d'une belle femme nue et j'ai osé la placer à côté de celle de Mâ Ananda Mâyi. Certains crieront au sacrilège, elle qu'Occidentaux et hindous ont révérée comme une femme divine. Comment Desjardins ose-t-il mêler réussite mondaine, fascination sexuelle et incarnation de la pureté ? Avec le recul du temps, je me dis aujourd'hui que c'est la chose la plus intelligente que j'aie pu faire à cet âge où j'avais tout à apprendre en matière de sagesse : être émerveillé par le rayonnement des sages mais demeurer honnête vis-à-vis de soi-même et réaliste.

C'est le cœur de mon témoignage. Même si vous êtes bourré de problèmes, d'inhibitions, d'infantilisme, obsédé par des modèles d'accomplissement mondain, ne renoncez pas à la dimension spirituelle de l'existence. À force de persévérance, vous pouvez changer. Ma biographie n'a pas d'autre sens que celui de montrer la possibilité du changement. J'ai connu de nombreux tourments spirituels devant les contradictions des religions. Je me suis demandé si Dieu était strictement Un comme l'affirme l'islam ou Trinité comme le soutient le christianisme. La vérité ultime réside-t-elle dans le non-dualisme ? Pourquoi l'Église rejette-t-elle ce non-dualisme ? Pourquoi opposer si implacablement création ex nihilo et ex deo ? Ces questions et bien d'autres me déchiraient. Swâmi Prajnânpad a éclairé ce parcours douloureux : « Vous ne serez pas libre, m'a-t-il dit, si vous n'avez pas expérimenté, vécu, vérifié par vous-même. »

Longtemps ma recherche spirituelle a donc côtoyé mon expérience mondaine. À quarante-cinq ans, j'étais connu, on me voyait souvent sur les plateaux de télévision, j'ai vécu une relation d'amour sincère avec Dalida qui était alors une grande star... Et puis toute cette vie intense et agitée s'est arrêtée d'un coup, comme ma passion d'enfant pour les patins à roulettes. Chaque être a un rôle singulier à jouer. Il y a la vérité de l'océan et puis celle de chaque vague. De même que la vérité du pommier est de produire des pommes, la vraie nature de celui-ci est d'être médecin, de celle-là d'être violoniste. En Inde, un yogi peut exprimer sa vérité en vivant en ermite dans une grotte et tout le village voisin considère comme une bénédiction d'avoir auprès de lui cet homme rayonnant avec son regard d'un autre monde.

On peut comparer notre situation à celle d'un acteur qui joue son rôle totalement, même s'il est triste ou frappé par un deuil alors qu'il doit jouer une comédie légère. Un acteur doit pouvoir interpréter parfaitement Polyeucte, Oreste ou Ruy Blas en sachant qu'au fond de lui-même il n'est aucun de ces personnages. Le sage demeure libre du rôle qu'il veut – ou plutôt doit – jouer. Il ne se prend plus pour celui que les autres voient ou décrivent. Il se désengage de lui-même pour s'établir dans ce qu'on appelle parfois la « Conscience témoin », le « Non-Né », l'âtman. Il n'est ni jeune ni vieux, ni femme ni homme, ni hindou ni tibétain, il joue le rôle d'un vieux, d'un homme ou d'un Tibétain.

Le point de départ, c'est que la vague est déjà l'océan. Elle se prend pour une certaine vague, limitée, différente des autres. Dans de nombreux textes de la tradition et dans la bouche même de nombreux sages, il est proposé de consacrer sa vie à la recherche de l'océan. D'un autre point de vue, cette recherche est absurde. Cessez de chercher l'océan et vous allez découvrir que vous êtes l'océan. Si vous dites : « Je ne suis pas l'océan, il faut que je cherche l'océan », vous fabriquez vous-même une impasse. Le chemin paraît donc paradoxal. À quoi servent la décision, le courage, la persévérance, le prix personnel qu'on va payer pour mettre en pratique les instructions de son gourou, si c'est pour découvrir au terme de la quête qu'on a toujours été l'océan ? Mais celui qui n'est pas éveillé se prend pour une vague bien précise et il est plus ou moins satisfait d'être cette vague-là.

En vérité chacun, du plus humble au plus puissant, est l'océan. Les différences n'existent qu'au niveau de la vague. Mais que la vague soit grande ou petite, quelle importance ?

Jean-Louis Cianni

Océan ou vague ? Totalité ou particule ? Que et qui sommes-nous ? Nous voici emportés par les rouleaux du doute et de la perplexité, et l'eau n'est pas l'élément préféré des chenilles… En même temps que ses ailes soulèvent d'épais nuages, la présence du sage nous devient plus familière et sa figure plus accessible. Le sage, nous dit Arnaud Desjardins, ne s'enferme dans aucun rôle social précis, il n'a pas de profil prédéfini, il traverse le personnage humain sans s'identifier à ses masques ni se confondre avec son costume. Certes, il n'est pas inutile – et l'expérience de vivre nous l'apprend vite – de se méfier des apparences, des conventions et des simagrées. Réfléchir, c'est bien cela : prendre du recul par rapport aux situations, évaluer sa motivation, comprendre le comportement de l'autre.

Pour définir l'attitude philosophique devant la vie, les pythagoriciens recouraient à une image que nous appellerions « sportive ». Pour eux, trois catégories d'hommes participent aux jeux Olympiques : les athlètes, les commerçants et les spectateurs. Le philosophe relève de la troisième catégorie : il est celui qui observe un spectacle, qui en recherche le sens. Vivre, c'est participer au grand jeu social mais à bonne distance. Nous sommes appelés sur la scène du monde et chacun doit y tenir son rôle. Le philosophe, comme tout un chacun, remplit le sien avec des fortunes diverses selon les individus et les époques : Descartes « s'avance masqué » et se protège des autres, Sartre médiatise jusqu'à son intimité, Épicure est chef de communauté, Spinoza vit comme un ermite. Comme pour les sages orientaux, les habits et les « moines » philosophiques sont nombreux et variables. Chacun joue son rôle de philosophe comme il l'entend. Mais tous sont des philosophes, ce ne sont ni des artistes, ni des commerçants, ni des athlètes.

Nous tenons tous un rôle, donc, et il change avec l'âge comme sous l'influence des milieux. Il évolue, il s'infléchit, il peut même être totalement abandonné. Il n'en reste pas moins qu'au moment où nous jouons notre personnage social, nous le jouons à fond, et même si nous choisissons de dissimuler, nous jouons encore totalement au dissimulateur. Mais il est difficile de tricher, de ne pas être complètement footballeur au moment de tirer un penalty, par exemple. Quand nous avons choisi un personnage social, nous sommes obligés d'aller jusqu'au bout. Si nous acceptons bien des contraintes et bien des souffrances, c'est parce que le rôle est un rôle choisi, assumé, un rôle qui donne un sens à notre vie. Nous ne pouvons faire autrement que de le jouer avec sincérité et détermination.

Vivre, ce n'est pas s'empêcher de vivre, c'est risquer de vivre. L'erreur et la tromperie font partie du donné. Je peux les imaginer, les anticiper, mais jamais les éradiquer ni en faire la totale économie. Il faut bien se tromper pour se corriger. Les Latins disaient : vivre d'abord et ensuite philosopher... La vie, fût-elle un jeu social, réclame aussi un seuil de confiance et de sérieux. Comment accorderais-je ma confiance à un collègue de travail sans cesse changeant, légèrement menteur et peu impliqué ? Le théâtre, comme toutes les autres activités humaines, exige une formation, du travail, du temps, de l'investissement. Il faut y croire pour que les autres y croient. Il n'existe donc pas de jeu pur ni de pur jeu. À l'inverse, quand je m'analyse dans mon silence intérieur, je cherche à savoir si je peux me faire confiance. En dialoguant avec moi-même je veux me mettre au clair avec moi-même, savoir si je ne triche pas, si je veux ou si je ne veux pas. Ce qui suppose que je puisse me tromper (être dans l'erreur ou me dissimuler quelque chose). Pas de vie intérieure sans relation au faux, sans un peu de jeu entre soi et soi.

Si bien qu'être, pour un être humain, relève du plus grand paradoxe. Il faut à la fois, comme le célèbre garçon de café de Sartre, être ce qu'on n'est pas et ne pas être ce qu'on est. Le rôle social nous tient dans l'apparence, il nous permet d'être reconnus et de nous reconnaître. Il donne un sens à notre vie. Mais à l'inverse, il nous aliène, il nous piège, il rabat notre existence sur une forme figée. L'identité sociale est cette hybridité dont le terme «personne» exprime toute la dialectique subtile et la dynamique complexe. Une personne : un être réel et singulier. Personne : aucun être. À l'origine le terme latin désigne le masque, celui à travers lequel résonne la voix du déclamant. La personne exprime la réalité d'une tromperie et en rappelle toute la vérité. «Personne!», c'est ce qu'Ulysse répond au Cyclope qu'il a rendu aveugle et qui demande qui se cache sous le ventre de la brebis où le héros s'est réfugié – nous nous réduisons ainsi à un effet de résonance dans les cavernes où nous nous fourvoyons… Mais Ulysse s'en sert pour sauver sa peau – nous ne sommes rien sans le personnage que nous jouons.

Un jour, nous sortons de la scène du monde. Nous abandonnons notre rôle, rangeons nos costumes et nos masques. Nous mourons. Le sage en définitive anticipe sur ce moment de bascule. En s'ouvrant à tous les personnages possibles, il n'en joue aucun, il est comme mort avant l'heure. Pouvons-nous et devons-nous le suivre ? Tous ceux qui ont traversé des épreuves savent que changer de rôle est difficile, pénible, long. Notre être s'y engage comme dans une épreuve de vérité. Nous savons que l'épreuve est instructive, qu'elle peut être bénéfique. Mais quand nous y sommes, nous souffrons, nous sommes incapables d'aller plus vite que notre désespoir ou notre frustration, le deuil a son incompressible durée. Cela ne signifie pas que nous ne devions pas tenter quelque chose. À chacun de choisir la voie de l'arrachement ou celle de la maturation lente.

L'épreuve, c'est indéniable, nous lance un défi, nous renvoie à notre mort. Nous nous la représentons tous à partir de notre disparition possible, de la connaissance intuitive que nous avons de cette disparition en suspens. Elle est ce qui nous menace, nous prive de ce rôle social qui précisément nous fait vivre – celui d'amant, de proche, d'actif, etc. –, donne du sens à notre vie, c'est-à-dire nous détourne du néant à venir. En sortir équivaut bien pour nous à une mort de ce que nous étions et à l'émergence d'un être à nouveau disponible pour vivre. Après elle, nous sommes passés d'un état à un autre. Transformés en profondeur ? Je dirais que nous avons gagné en lucidité mais que nous avons retrouvé notre potentiel d'illusion. Car sans celle-ci nous ne sommes rien et c'est pourquoi nous la recherchons. L'épreuve est une phase intermédiaire de sidération, de suspens entre deux illusions.

La solution du sage est radicale. Il nous dit : « Votre ego est la cause de votre souffrance. La transformation est possible si vous renoncez à cet ego. Ce renoncement est la première étape d'une nouvelle vie. La sagesse est une auto-génération. » Est-il indispensable d'aller si loin ? La voie du sage est pentue, ardue. On s'y brûle à une bien sévère essence. La vie d'Arnaud Desjardins témoigne d'une quête ardente, soutenue, sans concession. Le philosophe invite à se contenter de vivre bien. De vivre, c'est-à-dire de répondre aux défis de l'existence, d'affronter le réel avec courage et dignité, d'être, même si cette expression est paradoxale, à la hauteur de l'homme qu'il est. Cet homme n'est sans doute pas un papillon, mais il n'est déjà plus une simple chenille.

« Faire ce qui est de soi », c'est ainsi coïncider d'abord avec son possible humain. L'épreuve est souvent une crise, un moment particulier où précisément nous nous décalons de nous-mêmes. La réflexion philosophique peut aider au retour à soi, à la reprise de soi. Mais elle contribue plus à une autorégénération qu'à une autogénération spirituelle. Elle reste à l'intérieur d'une sphère de vie, elle ne vise pas à une élévation ontologique.

Cela ne signifie pas qu'il soit impossible de prendre du recul. D'une certaine manière, le « Connais-toi toi-même » institue et délimite lui aussi le champ d'une « conscience témoin ». L'injonction socratique rappelle une pensée dont la caractéristique est précisément de se séparer, de se décoller d'elle-même dans un premier temps, pour ensuite se reprendre. Les philosophes nomment « réflexivité » ce double mouvement de clivage et de reprise.

Cela ne signifie pas non plus qu'il faille se vautrer dans la mare de son immanence. Il s'agit de reconnaître et d'accepter son destin d'être vivant, inséparable du monde qui le produit et le conditionne. Car vivre, c'est aussi vouloir, désirer, vivre inclut toujours son propre dépassement. Chacun connaît et éprouve, dans et de par son être immédiat, la charge transcendante de la vie.

Il n'est pas besoin de longs raisonnements ni de lourdes constructions métaphysiques. L'amour, l'amitié, les sentiments familiaux sont autant de premières occasions de ressentir et d'exprimer que nous sommes primitivement des êtres transcendants. Notre insistance à être ne dépend pas seulement d'un bol énergétique matinal, elle est une puissance qui manifeste sa volonté. La difficulté n'est pas d'avoir ou pas une puissance existentielle – elle est donnée –, c'est de lui trouver un sens. Un philosophe comme Sartre dénie toute possibilité de trouver un sens à l'existence. Il ne voit dans l'homme qu'une « passion inutile ». Plus nuancée, Simone de Beauvoir estime qu'il nous revient de justifier notre existence, de la fonder en vérité.

L'œuvre humaine, littéraire, artistique ou sociale offre une possibilité de justification. Un chercheur spirituel comme Arnaud Desjardins croit au contraire que le sens est dans la non-passion, la non-justification.

Alors, vague ou océan ? L'image est belle, elle nous enroule dans sa spirale signifiante. Mais je suis un homme, un être malin et ridicule à la fois, une sorte d'Ulysse qui peut rentrer au port quand la mer devient grosse, s'attrister devant la vague, connaître la structure de l'eau, concevoir ou rêver la vague et l'océan… Je peux aussi passer de l'une à l'autre, être tantôt vague, tantôt océan, et cette alternance existentielle, cette ubiquité ou hybridité ontologique sont la marque tragique mais pas forcément malheureuse de l'être homme.

5

L'heure de l'éveil

La sagesse est un éveil. Mais à quoi s'éveille-t-on avec elle ? À la vérité, au bonheur, à la sérénité ? Et le sommeil initial dont elle nous ferait sortir, de quelle sorte est-il ? Comment en revient-on ? Quand sait-on qu'on ne « dort » plus ?

Arnaud Desjardins

Ce que je décris comme « illusion » ou « sommeil », c'est un mode de fonctionnement mental, c'est l'interprétation subjective de la réalité que nous effectuons sans en être vraiment conscients et par laquelle nous nous référons constamment à quelque chose d'autre que ce qui est. Il serait impossible de dire : « C'est bon, c'est mauvais » ou : « C'est beau, c'est laid » si notre esprit ne faisait pas de comparaisons. D'une manière plus subtile, nous nous référons à ce qui « aurait pu être » ou à ce qui « devrait être » et nous exprimons cette référence avec des mots très incisifs. Ainsi nous divisons le monde. Le « mental » dédouble. Car nous vivons simultanément dans un monde où inévitablement les choses sont ce qu'elles sont et en même temps dans un autre qui est notre propre création où elles pourraient ou devraient être autrement et nullement ce qu'elles sont. Ma femme, par exemple, ne devrait pas me dire cela maintenant et pourtant elle l'a dit, c'est indiscutable. C'est contraire à mon attente mais le fait est que mon enfant est

malade, ce qui est ici et maintenant. Nous vivons simultanément dans deux mondes, le monde réel et le monde
de notre subjectivité qui dédouble le premier pour le nier
ou l'imaginer différent. Ainsi nous persistons à créer un
objet intact alors qu'en réalité il est tombé et s'est brisé.
Héraclite a souligné dans ses termes ce découplage : « Les
hommes qui sont éveillés vivent dans un seul monde, ceux
qui ne sont pas éveillés vivent dans deux mondes. » Il faut
voir là le cœur du fonctionnement du « mental ». On peut
en prendre conscience, on peut le transformer, c'est le fondement d'un éveil possible. Chaque être humain vit dans
un monde personnel et projette ce monde sur la réalité.
Et la psychologie moderne a confirmé cette donnée spirituelle immémoriale.

Si chacun vit dans son monde, personne ne voit la
même chose et c'est pour cela que quand l'un affirme :
« C'est beau ! », un autre peut rétorquer : « Absolument
pas ! » Pourtant, quelles que soient les circonstances, la
vérité est « une sans un deuxième ». Le mental crée de
toutes pièces un deuxième qui vient recouvrir ce qui est,
il introduit une deuxième instance qui discute ce qui est
pourtant indiscutable.

Que faire pour s'éveiller ? La pratique de base consiste
à devenir plus attentifs à notre fonctionnement, à prendre
conscience du flux des réactions qui nous emportent, à
nous surprendre en flagrant délit de surimposer ce qui
devrait être à ce qui est, de confondre notre opinion per-

sonnelle avec la vérité objective. Au fur et à mesure que notre observation devient plus fine, nous découvrons à quel point, même réveillés du sommeil nocturne, nous ne voyons pas le monde réel tel qu'il est. Non seulement nous ne percevons pas l'absolu, le monde réel ultime, l'Un qui sous-tend le multiple, l'Éternel qui sous-tend l'imperma-nent, mais nous ne voyons même pas le monde relatif dans sa vérité ! Le relatif n'est pas autre chose que l'absolu, il en est la manifestation.

Un sage célèbre et unanimement respecté, Rama-na Maharshi, a comparé l'âtman, le tréfonds ultime de la conscience, à un écran de cinéma pouvant accueillir immuablement tous les films. Au début de nos entre-tiens, Swâmiji m'avait convaincu que je n'avais même pas accès au film et que je n'aurais jamais accès à l'écran si je ne passais pas à travers le film, d'une manière complète-ment pure. Pour accéder d'abord au film, il ne faut plus discuter l'indiscutable. Prenons un exemple : je m'attends à payer cinq mille euros d'impôts et voici que l'avis d'im-position que je reçois annonce dix mille euros. Le cri du cœur m'échappe : « C'est pas vrai ! » Mais c'est bien vrai pourtant, et ce qui n'est pas véridique, c'est le cri du cœur aussi déchirant soit-il. Celui-ci est un mensonge ou tout au moins une non-vérité, une illusion ! Découvrir que je pouvais voir le film tel qu'il était, que je pouvais traverser le voile opaque de la subjectivité, que je pouvais m'éveiller a été pour moi une révélation.

L'illusion est à son niveau une réalité bien concrète. On la traverse en prenant d'abord une conscience de plus en plus claire de son mécanisme. La source de l'illusion se trouve en effet dans notre subjectivité même, à la fois émotionnelle et pensante, notre ego. Les mots que nous utilisons appellent des précisions et doivent être situés dans un contexte. Cette pathologie de l'ego, les maîtres hindous la nomment manas, traduit en anglais par le terme mind. Le latin mens puis notre terme « mental » dérivent de manas. Ce terme désigne un monde de conceptions, d'idées, de comparaisons et de références au passé. C'est pourquoi il est possible de le traduire par « psychisme ». Mais manas évoque aussi l'idée d'un moi limitatif amenant des dysfonctionnements et les vécus de souffrance qui en résultent. On peut essayer d'améliorer son ego. Mais on peut aussi vouloir aller plus loin et dépasser la conscience définie par l'individualité, le corps et le psychisme. C'est ce dépassement qui s'accomplit au long de la voie par l'ascèse, l'exercice, la saddhana.

Notre ego surimpose, projette notre monde personnel sur la réalité et notre système d'évaluation en découle. Prenons comme exemple un lieu et un paysage, la ville de Chamonix et le massif du mont Blanc. Pour l'un, c'est le beau du beau. Au contraire, pour cet autre, c'est encaissé, étouffant, écrasé par les montagnes. Pourtant en lui-même, le spectacle est neutre, la vallée est ce qu'elle est, c'est tout. C'est nous qui la qualifions, qui voyons du merveilleux quand le mont Blanc se détache des brumes, c'est nous qui voyons du négatif dans ces montagnes écrasantes et «ce soleil qui se lève si tard». Aucun des spectateurs qui jugent ne voit la vallée, chacun voit sa vallée. Pour un bouddhiste, un chrétien ou un athée, une chemise blanche est une chemise blanche et ni l'un ni l'autre ne soutiendra qu'elle est rouge. C'est quand je commence à commenter: «Cette chemise me fait penser à une blouse d'infirmier, c'est un peu triste, le blanc» que je ne vois plus la chemise.

Washington est la capitale des États-Unis, Bouddha lui-même ne pourrait dire autre chose. C'est une donnée objective, indiscutable. Mais quand nous déclarons: «New York, quelle merveille!» ou: «Quel cauchemar!», nous entrons alors dans la source de tous les problèmes: chacun voit son New York et ne voit plus New York. Cette distorsion, nous l'appliquons d'abord à nos proches. Personne ne voit sa propre femme ou son propre fils et deux enfants n'ont pas la même vision de leur père ou de leur mère. C'est la tour de Babel des interprétations personnelles et c'est pourquoi on trouve tant d'incompréhension et de souffrance entre les hommes.

Nous ne vivons pas dans le monde relatif réel mais dans une sorte de rêve dont on peut s'éveiller. Après l'éveil nous vivrons tous dans le même monde. L'accès à cette lucidité suppose une «destruction du mental» (en sanskrit manonasha) telle que nous l'avons présentée. Pour ne plus voir son Jean-Pierre ou sa Michèle, pour voir vraiment Jean-Pierre ou Michèle, il faut une ascèse – au sens d'« exercice » –, un entraînement. Les modalités de l'ascèse sont variables, il existe plusieurs voies possibles ou tout au moins des véhicules différents. Le chemin de Paris à Nice, je peux l'effectuer en avion, en train ou en voiture. En voiture je peux encore emprunter l'autoroute ou la nationale, choisir tel ou tel modèle de véhicule. Le but ultime reste le même : supprimer la distance qui sépare Paris de Nice. Sur la voie spirituelle, le but est de faire disparaître le moi limité qui vit dans le monde de la séparation, l'ego soumis à la souffrance de ses illusions, à ses désirs et à ses refus, à son passé.

Le yoga est un chemin traditionnel. Mais les postures les plus sophistiquées, les plus difficiles, les plus éblouissantes ne garantissent en rien l'évasion hors de l'ego et du monde de la séparation. Il en va de même de la célèbre concentration comparée aux rayons du soleil concentrés par une loupe et qui peuvent enflammer alors une feuille de papier. Elle n'est pas la voie royale. Une autre tradition préconise au contraire d'ouvrir l'esprit à tout le réel, de le rendre vaste et disponible. L'essentiel reste le but : atteindre la Réalité ou la Vérité non duelle.

L'éveil présente également une autre dimension, celle de la paix dans le cœur et l'esprit, une paix complète, parfaite, que les bonnes ou mauvaises nouvelles ne peuvent altérer, un état de joie indépendant des événements. Cette joie demeure à travers les vicissitudes de l'existence et les situations considérées comme tragiques, mais elle n'a rien à voir avec les émotions heureuses habituelles. C'est un sentiment stable de compassion et d'amour, y compris pour ceux qu'on pourrait appeler des «ennemis». C'est la «joie qui demeure» du chrétien, la paix intime et profonde du soufi musulman (salam) ou celle de l'hindou (shanti), la «sérénité» du moine tibétain. La paix intérieure même si les choses vont mal.

Aujourd'hui encore, je pourrais choisir de manifester une colère mais cette colère n'est plus une émotion personnelle. Si j'y percevais un aspect émotionnel, j'attendrais qu'il se disperse. Je pourrais prendre une attitude, crier à quelqu'un qui viendrait perturber une séance de méditation : «C'est inadmissible, sortez immédiatement de cette pièce!» mais cela ne durerait pas et, quand la personne franchirait le seuil, je pourrais même lui dire de revenir. Nous pouvons dépasser nos émotions, et c'est précisément cette idée qui est incompréhensible pour la mentalité moderne.

Nous avons pourtant une belle expression qui est l'«intelligence du cœur». Les émotions sont au contraire l'inintelligence du cœur. La disparition des émotions et leur remplacement par un sentiment de sérénité, de paix et d'amour qui ne vacille plus est un point commun à toutes les recherches spirituelles. La grande question est alors : qu'est-ce qui subsiste dans notre cœur quand les émotions ont disparu? C'est ce qu'il faut découvrir. Une réaction de colère peut tout à fait être juste et légitime, mais elle ne doit pas nous exiler de notre paix intérieure ni de la compassion ou de l'amour pour le plus grand fautif. «Le sage aime comme le feu chauffe et éclaire.» Or, l'homme le plus coupable, disons un pédophile qui aurait traumatisé des dizaines d'enfants, le feu dont il s'approche le chauffe et l'éclaire, lui comme les autres.

Jean-Louis Cianni

Est-il possible, est-il souhaitable de perdre ses illusions? C'est une belle et classique question de philosophie. À l'âge où on se la voit poser pour la première et pour la dernière fois – les annales du baccalauréat en témoignent –, on ignore comment la traiter si on en comprend même le sens, tant l'esprit est encore celui d'un individu jeune, centré sur lui-même et préoccupé par sa propre affirmation.

Arnaud Desjardins apporte une double réponse positive. Au premier abord, on ne peut que souscrire. Depuis toujours, la philosophie aide à pourfendre toutes sortes d'illusions: celles que génère notre propre nature, dont l'approche sensitive et subjective fausse les informations du réel, informations que la raison doit ensuite retraiter selon une autre logique pour les faire entrer dans l'ordre de la science; toutes les autres illusions individuelles ou collectives ensuite, religieuses (je crois à une vie après la mort), morales (si j'agis bien, je serai méritant), sociales (ma réussite me sauve), celles d'ordre éthiques comme la richesse (posséder donne un sens à ma vie) ou l'obsession de faire (en m'activant j'oublie mon inquiétude). La philosophie démonte les fantasmes individuels, elle explique les hallucinations collectives. La finalité de cette entreprise de dévoilement et parfois de démolition reste la libération d'un sujet asservi par les autres ou par lui-même. La philosophie ne critique pas pour le simple plaisir de critiquer, elle cherche à rendre l'homme disponible pour lui-même, en phase avec sa vérité. Une telle démarche, pour être opérante et efficace, suppose ou enveloppe une conception relativiste et évolutive de la vérité. Celle-ci vient en définitive remplacer une illusion périmée.

À l'inverse, une illusion n'est qu'une vérité encore en suspens, encore à venir. Ce n'est d'ailleurs par pour cela qu'elle est inopérante, bien au contraire. Illusion et vérité ne sont que les deux faces d'un contrat que nous passons un moment avec la réalité. La philosophie, conçue comme une réflexion critique, accompagne et accomplit le passage d'une vérité relative – surtout dans le temps – à une autre. Notre vie psychique, intellectuelle et affective est faite d'une étoffe nécessaire et comme suffisante d'illusion. La philosophie en tient compte et la malmène. En tout cas elle propose de tenir la vérité non pas comme un donné, un absolu préalable, un dogme, mais comme le produit d'une mise en question, le résultat final mais momentané d'une enquête, voire d'un débat. Elle se nourrit toujours ainsi au lait du scepticisme (du grec skepsis, «examen») qui constitue la première étape de la marche vers le vrai mais seulement la première étape.

La contestation qu'elle opère va parfois plus loin, jusqu'à la mise en doute du réel lui-même. C'est ce qu'on appelle alors le «scepticisme ontologique» qui voit dans le monde un pur jeu d'apparences. Un des maîtres de ce courant de pensée s'appelle Pyrrhon. On croit savoir qu'il aurait accompagné les troupes d'Alexandre le Grand lors de son expédition en Orient et qu'il aurait pu être en contact avec les gymnosophistes (les «sages nus» de l'Inde). Il a peut-être ramené de son voyage ses concepts clés, l'«insaisissabilité de toute chose» (akatalepsia), l'«absence de trouble» (ataraxia) ainsi que des pratiques spirituelles telles que le «silence» (aphasia) ou la «suspension de jugement» (épochè). «Partout l'apparence s'impose» est l'une de ses formules les plus célèbres. Elle exprime une théorie selon laquelle tout ce qui est s'établit dans un sous-être insuffisant, inconsistant, et que tout ce qui se manifeste est en définitive dépourvu de vérité. Le monde se réduit à la scène d'un théâtre où les apparences viennent danser comme des marionnettes. Le scepticisme déréalise le monde, le vide de toute substance signifiante. Dès lors, tout devient égal, indifférent, absurde, jusqu'à la mort elle-même.

Le scepticisme ontologique soulève de nombreux problèmes. D'abord, si je dis que rien n'a de sens, alors il me faut admettre que la proposition qui l'énonce n'en a pas non plus. Ainsi, le scepticisme se détruit en s'affirmant. Ensuite, parti pour critiquer les dogmes, le sceptique les réinstaure au cœur même de son mouvement de contestation : en dehors de lui, point de vérité. Et puis, si le monde où je vis – le seul que je puisse connaître et expérimenter –

est apparence, fiction, illusion, il va bien falloir en supposer un autre, une sorte de double, un arrière-monde, qui serait bien réel, celui-là, consistant, vrai. Où vivre sinon, où vouloir vivre ? Et si ce n'est ici, c'est forcément ailleurs. C'est tout l'artifice des grandes constructions métaphysiques et religieuses. Ce monde ne peut se dégrader qu'au profit d'un autre. Mais où se trouve-t-il, ce second monde, cet hyper-monde ? Pourquoi ne m'est-il pas immédiatement dévoilé ? Comment vivre cet ailleurs de la vie imaginé par Rimbaud ? Admettons que je puisse en faire l'expérience : qui m'assurera que cet autre monde n'est pas une autre illusion ? Qui me garantira que mes illusions ne s'emboîtent pas à l'infini comme des poupées gigognes ? Car l'expérience n'est en rien une protection contre l'illusion, elle en est même une condition.

C'est pourquoi les philosophes, sans jamais cesser d'en faire la critique, conservent à l'illusion toute sa dignité et son utilité pratique. « La vie a besoin d'illusion », reconnaît Nietzsche. Freud a expliqué son intérêt dans l'économie du psychisme. L'illusion réaffirme le principe de plaisir contre celui de réalité. Elle constitue un mécanisme de défense contre l'angoisse d'un réel frustrant ou d'une vie limitée dans le temps. Bref, il n'est pas si mauvais de « prendre ses désirs pour la réalité ». Dès lors que nous ne glissons pas dans le délire, l'illusion est bonne pour nous, notre désir comme notre volonté s'en alimentent.

Mais revenons à l'expérience d'Arnaud Desjardins. De l'extérieur, nous pourrions la comprendre comme une sorte d'extase, de «sortie de soi» au sens étymologique, extase qui serait délestée du pathos tragique des mystiques chrétiens, une extase plus durable et plus accessible. L'extase entraîne-t-elle le sujet de l'autre côté des apparences ? Il semble au contraire qu'elle s'éprouve en leur sein même ou qu'elle ne soit qu'une autre façon de vivre l'apparence. L'extase est moins l'accès à un autre monde qui échapperait à l'apparence, ce monde du Non-Né dont parle Arnaud Desjardins, mais la relation au monde pour ce qu'il est : une apparence absolue. Point n'est besoin d'être un grand mystique pour éprouver cette présence particulière du monde. Chacun le sait, le sent dans son existence ordinaire : il suffit d'un sourire aimé, parfois d'un simple rai de lumière qui joue sur le sol, d'une atmosphère particulière, pour nous arracher à nous-mêmes et nous emplir de la présence du monde. Présence légère, autour de quoi tout se suspend, subjectivité, mémoire, projets, échecs et souffrance, tout ce qui nous paraissait essentiel. Nous sommes tentés d'appeler «bonheur» ce moment fugace où en définitive tout se vide de sens, nous et le monde. Chacun éprouve des milliers de fois dans une vie cette extase, qui pour être mondaine n'en est pas moins intense, où nous acceptons le flash du néant. Georges Bataille l'a si bien dit : «Un rayon de soleil d'été dérobe à la volonté de savoir un secret que nulle réminiscence jamais ne fera pénétrable.»

Extase ordinaire par suspens de la conscience. Extase ordinaire aussi par remplissage soudain de cette même conscience. Nous faisons tous l'expérience de ce que les psychanalystes nomment l'insight, sorte de révélation soudaine à travers laquelle notre esprit accueille de nouveaux contenus. L'insight, c'est le moment intérieur intense où nous «réalisons», où nous saisissons ce qui est dans sa vérité maintenant incontournable. Éclair de certitude de l'amant trompé, du chercheur abusé, du névrosé pris dans les voiles opaques de son désir.

Arnaud enseigne qu'il est possible de transformer cet éclair psychique en état stable, qu'il faut mourir à soi-même, c'est-à-dire se libérer de ses illusions et surtout des émotions qui les génèrent pour y accéder non plus ponc-tuellement mais durablement. Arrêtons-nous encore sur ce sentiment de bonheur apporté par nos extases mon-daines : pourquoi reste-t-il aussi bref ? Que nous révèle-t-il vraiment ? Il faut ici mettre ce sentiment en résonance avec ce que Heidegger décrit comme l'expérience de l'an-goisse existentielle ou ontologique. Cette angoisse diffère de la peur ou de l'inquiétude, phénomènes affectifs, nor-maux ou pathologiques déterminés par une cause externe ou interne. Elle est la conscience que l'être humain a de sa condition, c'est-à-dire de sa finitude. «L'angoisse révèle le néant», résume Heidegger. L'angoisse fait résonner le temps qui passe, elle ouvre la perspective de l'anéantis-sement final en même temps qu'elle aplatit toute chance de signification a priori. En même temps, elle confronte l'homme à sa liberté et à l'exercice de son possible existen-tiel. L'angoisse suspend nos illusions…

Sur ce fond d'angoisse et de conjuration d'angoisse que forment toutes les entreprises humaines, des minuscules jusqu'aux plus hautes, l'extase mondaine de tout un chacun, ses petits bonheurs de savoir et d'oublier font en définitive revenir à l'essentiel : le fait de vivre, d'éprouver, de s'illusionner, de serpenter et de ramper le jour comme une chenille et la nuit comme un ver luisant qui éclairerait son chemin.

6

Comme un miroir

Comment concrètement devient-on sage ? La sagesse est-elle un don, le résultat d'une longue pratique, une expérience intérieure invérifiable et incommunicable ? Apporte-t-elle un surcroît ou une perte de conscience ? Est-elle fusion avec soi ou avec le Tout ?

Arnaud Desjardins

Il n'existe guère de Mozart ni de surdoués de la spiritualité, ou alors c'est exceptionnel. Ramana Maharshi, par exemple, se demande alors qu'il n'a que dix-sept ans ce qui peut se passer quand il va mourir. Il décide de ne plus bouger, de ne plus penser, de ne plus respirer. Il a raconté comment il s'est senti aspiré par la profondeur en lui, comment il s'est trouvé établi dans le Soi suprême, « au-delà du temps, de l'espace et de la causalité ». Il lui a fallu trois ans pour revenir peu à peu à une existence classiquement normale. En Europe, il aurait été interné dans un hôpital psychiatrique : immobile, en extase permanente, il ne mangeait plus, son entourage lui glissait de la nourriture dans la bouche. Mâ Amanda Mâyi a, elle aussi, présenté des phénomènes étranges dans sa jeunesse. Mais ces éveils spontanés restent très rares.

La règle, c'est que l'initiation se fait par transmission. La voie est comme un art, qu'on apprend comme on apprend le violon avec un professeur ou la menuiserie avec un ébéniste. Dans les corporations de métiers, on est d'abord apprenti, puis compagnon avant de devenir maître. Nous ne sommes pas capables de tout découvrir par nous-mêmes, nous avons besoin d'un autre qui sait, qui connaît, qui nous conseille et nous oriente. Il en va de même pour un apprentissage aussi complexe et délicat que la connaissance de soi et le dépassement de son esclavage intérieur. Aujourd'hui, certains font appel à un psychothérapeute pour les aider à prendre clairement conscience des mécanismes dont ils sont victimes. Cela n'a rien de choquant dans notre contexte. Pourtant notre approche occidentale résiste à l'idée de recourir à un gourou. On vous dira : « Vous aliénez votre liberté au profit d'un autre ! » Si le maître est authentique, s'il ne s'illusionne pas, il n'a pas d'autre motivation que de conduire le disciple sur son propre chemin vers la non-dépendance, de l'accompagner dans les péripéties de son mariage ou de son divorce, de la mort de son enfant, ou de sa propre maladie, pour l'aider à faire de toute son existence le chemin vers sa propre sagesse.

On peut suivre ce chemin en se faisant moine trappiste ou moine zen vivant en permanence dans un monastère ou encore swâmi dans un ashram. Mais il existe aussi un chemin « dans le monde des formes », pour reprendre l'expression sanskrite, un chemin réel à travers les péripéties de l'existence, les ambitions, les échecs, etc. Il peut conduire lui aussi à la libération. L'existence ordinaire peut ne pas mener seulement à la vieillesse et à la mort, elle peut devenir une voie à part entière autant que la grotte de l'Himalaya.

La voie suppose un apprentissage, donc un enseignement et une pratique. Le maître nous parle. Nous réfléchissons, nous essayons de voir si notre expérience confirme ce qu'il a dit. La pratique à laquelle il nous initie repose avant tout sur l'attention, la vigilance, la présence à soi-même et à la situation, la conscience pleine et entière. D'une certaine manière, nous sommes suffisamment conscients pour distinguer une boulangerie d'un magasin de chaussures et pour ne pas demander une paire de mocassins à la place d'une baguette et de deux croissants. Nous sommes suffisamment conscients aussi pour concevoir et construire un TGV ou réformer le régime des retraites, bref pour accomplir la plupart de nos activités, mais ce n'est pas là ce que l'enseignement traditionnel désigne par « conscience ». Cette conscience-là implique un surcroît d'attention qui réclame une pratique soutenue.

Dans les groupes Gurdjieff, cette conscience s'appelle le « rappel de soi », self-remembering, et dans la tradition ascétique ou mystique, c'est la « présence à soi-même ou à Dieu ». C'est une forme d'attention qui peut prendre deux aspects : la concentration d'abord, où l'attention se porte sur le va-et-vient du souffle et qui fonctionne comme la mise hors jeu de la distraction ; l'attention ouverte

ensuite, qui accueille ce qui vient, les pensées, les perceptions, sur un fond de désengagement. On peut passer
d'un niveau d'attention à un autre. L'image référence est
celle de l'écran qui accueille tous les films sans être affecté
par aucun : à la fin du film sur le Titanic, l'écran n'est pas
mouillé. Nous pouvons aussi mieux cerner cette attention
grâce à l'image plus ancienne du miroir qui « accueille »
l'image mais, contrairement à la pellicule photographique,
ne la « prend » pas. La plupart du temps nous prenons ce
qui arrive et les expressions courantes rappellent cette réalité, puisqu'on dit : « Il a bien pris la nouvelle » ou : « Il l'a
mal prise. » L'enjeu n'est pas de prendre bien ou mal, mais
de ne pas prendre du tout, comme le miroir. Le miroir ne
refuse rien, il accueille tout mais ne prend rien. L'attention
ouverte fonctionne comme le miroir.

Alors que je lui posais des questions très concrètes et
pas seulement passionnantes sur le plan intellectuel, Swâmi Prajnânpad m'a répondu : « Manger est une fonction
de la vie, respirer, c'est la vie même. » Ici et maintenant,
je suis toujours en cours d'inspiration ou d'expiration. La
respiration me ramène à l'ici et maintenant et m'oriente
vers le Soi (âtman). La nourriture m'inscrit dans le temps,
le passé et le futur : « Hier soir j'ai mangé ceci ou cela,
demain matin je prendrai mon petit déjeuner », alors que
je ne peux pas dire : « J'ai respiré » ou : « Je respirerai tout à
l'heure. » Je suis toujours en train de respirer.

Sous un autre angle, manger et respirer ne s'opposent
pas. Car tout est nourriture. Écouter une symphonie,

c'est se nourrir, regarder la pluie tomber aussi. Toutes nos impressions sont des nourritures. On dit d'un ami qu'«il se nourrit de romans policiers», on déclare : «Ce livre m'a passionné, je l'ai dévoré en une nuit.» Si j'assiste à une scène intense, un meurtre, par exemple, une nourriture pénètre en moi, que je le veuille ou non, mais est-ce que je vais être capable de «digérer», d'assimiler ce que j'ai vu ? Est-ce que je vais réussir à éliminer ce qui n'est pas assimilable ? Parfois ce que nous vivons nous reste «en travers». «Assimiler» veut dire faire une expérience qui enrichit notre compréhension, notre expérience et notre compassion. Un enfant de deux ans entend des bruits bizarres dans la chambre de ses parents, il pousse la porte et les voit s'accoupler. Comment peut-il assimiler cette scène ? Cela va sans doute être difficile pour ses parents de l'aider à digérer ce qu'il a vu. On ne donne pas de la nourriture solide à un bébé. Nous vivons aujourd'hui dans un monde où les enfants sont gavés de nourritures pseudo-culturelles qu'ils sont incapables de digérer, d'assimiler et d'éliminer.

Comment le sage nourrit-il son existence ? Le Soi est autonome, il ne vit que par lui-même. Une des définitions de l'âtman le donne comme «ce qui ne mange rien et n'est mangé par rien». Le monde manifesté repose sur un jeu où nous nous nourrissons de toutes les manières et où nous servons en même temps de nourriture. Pour commencer à comprendre cette idée, nous pouvons nous référer à cette expression courante qui dit d'une mère qu'elle est «dévorée» par ses enfants. Je citerai une formule hindoue qui peut paraître insupportable : « Les hommes sont du bétail pour les dieux. » Qui sont donc ces dieux ? Comment peuvent-ils être aussi cruels ou aussi méprisants ? À quoi l'humanité sert-elle de nourriture dans l'Univers ? Mais, comme l'écran du cinéma ou le miroir qui accueillent tout et ne prennent rien, l'âtman ne se nourrit pas ni ne sert de nourriture.

Le monde manifesté est régi par le jeu des contraires : l'arrivée et le départ, le haut et le bas, le beau et le laid, etc. Pour nous Occidentaux, la vie et la mort constituent une paire de contraires. Il n'en va pas de même dans la tradition orientale qui oppose la mort non pas à la vie mais à la naissance. En Inde, je me suis livré à un petit test. J'ai posé à quelques personnes très diverses cette question : « Donnez-moi le contraire. Haut ? – Bas. – Long ? Court. – Mort ? Naissance. » Aucun de mes interlocuteurs n'a répondu « vie ». Ils ne parvenaient même pas à comprendre. Pour eux, le contraire de la mort, c'est la naissance. La vie est un jeu permanent de naissances et de morts. Quelque chose meurt, quelque chose naît au même instant, naissance et mort sont synonymes, mais la vie elle-même ne naît ni ne meurt. Elle échappe à l'impermanence. La vague meurt, pas l'océan.

La Réalité ultime de notre être, quel que soit le nom qu'on lui donne, ne naît pas, ne meurt pas. Elle est éternelle, ce qui ne signifie pas qu'elle dure des milliards d'années, mais qu'elle n'est pas impliquée dans le temps ni dans le changement, qu'elle relève de l'éternel présent. La pratique spirituelle, la méditation, la vigilance, la purification des émotions nous donnent accès à cette réalité par rapport à laquelle tout le reste est relatif. Nous nous éveillons à elle, nous nous libérons de nos pensées contraignantes, de nos peurs, de nos désirs, du passé et du futur.

Quand j'affirme tout cela, ce n'est pas l'expression d'une pensée personnelle. Ce ne sont pas mes idées. J'ai seulement vérifié à mon tour la validité d'enseignements connus depuis bien longtemps et j'en témoigne avec une certitude tranquille. C'est pour moi une vérité indiscutable. Cela peut paraître immodeste, mais vous n'avez pas à me croire. Vous pouvez vérifier par vous-même. Quand un professeur de géographie affirme que le Zambèze coule en Afrique, nous le croyons sans aller voir sur place, nous lui faisons confiance.

En matière de philosophie, de sagesse ou de spiritualité, l'affirmation catégorique d'une vérité inhabituelle devient plus étrange. On suspecte celui qui l'énonce. Mais c'est une bonne chose car, si nous ne pouvions plus recourir librement à la suspicion, nous serions sous le règne d'une dictature intellectuelle. Chacun doit vérifier par lui-même. Et, s'il vérifie, il parviendra aux même conclusions que moi. La vérité est universelle. Le sage ne s'occupe que de cette vérité, pas de celles des chrétiens, des bouddhistes ou des musulmans, qui sont à l'origine des querelles théologiques et de tant de haine. Tout le monde connaît l'histoire de Tchouang-tseu. «Cette nuit, dit-il, j'ai rêvé que j'étais un papillon, qu'est-ce qui prouve que je ne suis pas un papillon qui rêve qu'il est un homme ? » Reprenant la métaphore célèbre, je dirais plutôt : je suis l'océan qui rêve la vague.

Jean-Louis Cianni

Quelle expérience paradoxale que celle d'Arnaud Desjardins ! Paradoxale parce qu'elle paraît à la fois tentante et inaccessible. La méditation qu'il vient de nous livrer nous en décrit les principales phases : mettre le monde entre parenthèses, se placer en état de vigilance, exercer son attention, mais dans une pratique mentale qui ne prend plus rien comme objet et où le moi lui-même se dissout. Expérience tentante, qu'on imagine proche du plaisir, du sommeil ou de l'ivresse, autant d'états qui nous délivrent temporairement il est vrai, mais de façon bénéfique, voire délicieuse, du poids de notre pensée consciente. Expérience inaccessible à première vue tant notre culture l'a exclue de son champ théorique et pratique. Le papillon spirituel nous entraîne ici vers les limites du territoire occidental, un des rares espaces de civilisation à ne pas admettre l'illumination intérieure et les états d'hyperconscience comme des voies d'accès à l'être. Raisonnable Occident qui a longtemps fait de la conscience le socle de toute théorie de la connaissance et de toute sagesse pratique. Pas de savoir sans un sujet pensant, conscient de soi et doué de raison. Pas d'éthique non plus sans un sujet qui pèse, évalue, mesure, choisit entre les extrêmes, soumet son action et ses passions au tamis et à la balance de la raison.

C'est pourquoi la méditation d'Arnaud Desjardins est radicalement différente d'une méditation dite «philosophique». Que nous sommes loin, par exemple, de celles, métaphysiques, d'un Descartes tout occupé à trouver dans et par la seule pensée la possibilité de saisir l'être («Je pense, donc je suis»), mais encore d'accéder à l'idée d'un Dieu infini dont la perfection même inclut l'existence. Là où le philosophe pense seul, le chercheur spirituel se fait accompagner et orienter par un maître. Quand le premier rejette comme un carcan l'enseignement reçu, le second redemande de l'apprentissage et s'attache à des traditions. La méditation cartésienne retranche de son environnement et de son corps un sujet pensant source d'existence, de vérité et de savoir, la méditation spirituelle le réduit à une illusion avant de le dissoudre dans le Soi. Aujourd'hui d'ailleurs, le philosophe ne «médite» plus, il critique, il interprète, il déconstruit.

Pour établir des rapprochements, il faut remonter bien avant Descartes. La méditation d'Arnaud Desjardins pourrait ainsi se rapprocher d'un exercice spirituel que les stoïciens nommaient prosoché, l'attention portée à soi-même et à l'instant présent. Les «thérapies» philosophiques antiques reposaient elles aussi sur des techniques très élaborées de concentration facilitant l'attention portée à soi-même. L'âme pour les Anciens était un souffle (psuché), une réalité impalpable, volatile, susceptible de dispersion et d'évaporation. Examen de conscience, remémoration, retour sur soi, entretien avec soi-même, travail

d'écriture comme celui à l'œuvre dans les Pensées de Marc
Aurèle, le philosophe-empereur stoïcien : les différents
exercices invitaient à un rassemblement de soi par soi. Par
ailleurs, comme l'ont montré les travaux de Pierre Hadot,
les écoles de philosophie antiques faisaient pratiquer à
leurs élèves des exercices d'« expansion du moi dans le cos-
mos ». Platon estime que l'âme doit tendre sans cesse « à
la contemplation de la totalité du temps et de l'être ». Pour
Aristote, le sommet de la pratique philosophique s'atteint
avec la vie contemplative qui donne à l'intellect humain
la saisie de la « totalité indivisible ». Épicure rappelle à
son disciple que celui-ci s'est élevé, par la science de la
nature, jusqu'à l'éternité et qu'il a vu l'« infinité des choses,
celles qui seront et celles qui ont été ». Le stoïcien Sénèque
enjoint de « constamment imaginer la totalité du monde et
la totalité de la réalité ». Cet exercice spirituel d'expansion
mentale constituait une sorte de fondamental. Il s'agissait
bien ici de sortir des limites du moi, de prendre ses dis-
tances par rapport à lui, mais les philosophes antiques ne
concevaient pas une spiritualité indépendante du savoir
et de la raison. Même Spinoza, qui propose comme programme philosophique de saisir la présence de choses
« telles qu'elles sont en l'éternité » (sub specie aeterna-
tis), saisie qui ouvre les portes de la sagesse et du salut,
ne rejoint jamais la route du mystique. L'infini que l'esprit
doit saisir demeure intelligible, ne peut être qu'intelligible
pour que l'esprit le connaisse. Le Dieu même de Spinoza,
« être infiniment infini », totalité organique dont l'individu

fait partie et qu'il exprime, n'est jamais retranché de l'intelligible, il le fonde en toute clarté.

De Platon jusqu'aux penseurs de l'âge classique, la philosophie a bien admis des degrés successifs dans la connaissance: l'imagination, la raison, l'intuition. Elle s'est définie comme une discipline ascendante partant des informations obscures et confuses livrées par les sens, s'en détournant au prix d'une conversion au profit de la connaissance rationnelle et cherchant à se parachever dans une saisie immédiate de l'être. Mais ce mouvement de sortie hors de soi du sujet sensible et du sujet pensant n'échappe jamais complètement à la sphère de la science. Au sommet des philosophies, la jouissance ou la béatitude sont inséparables du savoir sur le réel. C'est la connaissance de l'être qui constitue au contraire leur condition première.

À l'opposé des traditions orientales, la philosophie a également longtemps fait la part belle à la conscience tout en reconnaissant sa fragilité et ses limites. L'Occident conçoit le sujet pensant comme conscience, c'est-à-dire comme un sujet qui ne peut savoir sans savoir qu'il sait. L'étymologie du terme «conscience», forgé à partir de deux mots latins cum (avec) et scire (savoir), souligne à la fois une relation au savoir et une relation à soi. Cette relation à soi est à la fois immédiate (quand je souffre, je le sais sans réfléchir) et clivante (ma présence est toujours présence à moi-même).

L'homme occidental ne sort jamais de la sphère d'une conscience fonctionnant comme une double relation – à soi comme soi et à soi comme un objet – et comme un savoir de l'un et de l'autre. C'est sur ce savoir de soi que Socrate fonde la philosophie. C'est sur son pouvoir de donation ontologique que Descartes établit son «Je pense donc je suis ». Hobbes s'est moqué de Descartes. Pourquoi ne pas dire plutôt: «Je me promène donc je suis ?» a-t-il objecté. Descartes a répondu que dire qu'on se promène, c'est déjà penser qu'on se promène. Jusqu'au XIXe siècle, à part quelques exceptions notoires comme Spinoza, la conscience est pour le philosophe l'objet à la fois premier et ultime de la connaissance et la condition de toute expérience humaine. Marx, Nietzsche et Freud ont ensuite porté des coups fatals à la philosophie de la conscience en enserrant celle-ci dans des contextes de déterminations sociales, culturelles ou psychiques. Il n'empêche que la conscience reste un constituant de l'homme occidental, qu'il soit philosophe ou pas.

Il est vrai que la conscience est un objet de pensée fascinant. Un objet à deux faces, l'une tournée vers l'extérieur, l'autre vers l'intérieur. La conscience s'approprie les objets extérieurs, elle les intériorise pour en faire des objets de pensée. Mais en même temps elle est capable de se diviser elle-même et de se prendre pour objet, de se saisir comme elle se saisit de tout objet de pensée. C'est là que l'expérience d'Arnaud Desjardins nous échappe tant que nous ne la vivons pas puisqu'elle se situe là où la conscience cesse de se prendre à la fois pour objet et pour sujet. Elle fait signe depuis un dehors absolu.

L'image à la laquelle nous pouvons, nous aussi, nous référer pour saisir le fonctionnement de la conscience est celle du miroir. Penser pour nous, c'est réfléchir, c'est-à-dire introduire dans le réel un élément capable de le reprendre et de l'intérioriser, à l'image du miroir qui dédouble tout ce qu'on lui présente. Mais en représentant le réel, la conscience se représente aussi. Quand elle se prend elle-même comme objet, le jeu se complexifie à l'infini. Pour autant la pensée n'est pas du réel, c'est une activité symbolique, qui retraite le réel en images et en mots. La conscience n'est pas un simple appareil d'enregistrement, « elle s'éclate vers », disait Sartre, c'est une force proactive qui sans cesse va chercher le monde, l'interroger, le transformer.

Cette conscience serait-elle devenue incapable de nous guider sur le chemin de la connaissance et de l'action ? Certes elle est limitée, vulnérable, réprimée, certes elle est tyrannique, aveuglée, prétentieuse… mais pourquoi faudrait-il s'en séparer ? Voudrait-on se séparer de son ombre lorsqu'on marche au soleil ? Et puis est-elle si imparfaite, si confuse, si inefficace, si effroyable ?

Qu'elle soit individuelle, politique ou morale, n'en déplaise aux cognitivistes, elle est encore ce qui permet le mieux de définir l'homme. Son imprécision exprime au moins l'énigme irréductible de l'homme, au mieux sa capacité d'interrogation, de contestation et d'intervention dans le monde. La conscience n'est peut-être qu'un palier, d'autres cultures permettent à l'homme d'atteindre des sommets spirituels plus élevés, cela peut et doit s'entendre. Mais plus que du côté de l'hyperconscience, de la surconscience ou du vide, le philosophe regarde vers celui du néant, de l'inconscience, de la bestialité d'où l'homme péniblement émerge.

Il est difficile d'habiter une conscience, il faut pour y parvenir recevoir une éducation longue, complexe et surtout aimante. Il est difficile aussi dans le huis clos de la conscience de s'entretenir avec soi, d'habiter avec soi. Difficile mais toujours instructif et souvent salutaire. Car il y a pire que la conscience : la tentation de l'inconscience. La barbarie, les dictatures ne vivent que de la mort des consciences, de leur oppression, de leur négation, de leur destruction. L'urgence aujourd'hui semble plutôt de refuser la capture des consciences et leur endormissement par les appareils d'État ou les groupes financiers. Là est la vraie prison, pas dans la conscience.

Quand je dois m'engager, décider, agir, je ne trouve rien de mieux à faire que de réfléchir un peu plus ; il en va de même quand mes passions m'aveuglent, quand des conflits empoisonnent mes relations avec autrui. Arnaud Desjardins nous parle d'une conscience qui deviendrait pur miroir, simple capacité de réflexion. Devenir l'océan qui rêve la vague… Je retournerais l'image : je suis un miroir qui rêve d'une image ; je rêve d'un être à venir ; je me sais chenille ; je me rêve chenille suivant un papillon.

7
Le destin du sage

Le sage vit-il dans une autre réalité ? Où mène la voie ? À un état intérieur particulier ? À un domaine de l'être fermé à l'homme ordinaire ? La sagesse est-elle assomption de soi ou capitulation devant l'ordre du monde ?

Arnaud Desjardins

L'Occidental qui voyage en Inde ne peut être que frappé par la référence fréquente à une formule clé : « au-delà du temps, de l'espace et de la causalité ». Aucune de nos expériences n'échappe en effet à ces déterminations. Est-ce qu'une réalisation intime de cet ordre relève d'une conception purement orientale ou est-ce qu'elle nous est accessible ? Pour répondre à cette question, il faut repartir du constat de l'évidence du constant changement, de l'impermanence des choses. Qui ne se souvient de cette parole si ancienne : « On ne se baigne pas deux fois dans le même fleuve » ? Swâmi Prajnânpad, qui la connaissait très bien, précisait qu'on ne se baigne pas une seule fois dans le même fleuve car le fleuve dont on sort n'est déjà plus celui dans lequel on a pénétré puisqu'il ne cesse de couler.

Le terme d'« impermanence » implique qu'à l'instant où quelque chose apparaît, elle est déjà transformée, qu'il n'existe rien de fixe, que le courant du fleuve ne s'arrête pas. Nous observons, nous ressentons ce flux incessant. Il n'existe rien de plus tangible et, plus nous exerçons notre attention, plus nous percevons cette impermanence, plus nous accédons à l'ici et maintenant. Mais qu'est-ce que l'instant ? Si nous appliquons notre esprit de mesure, nous allons dégager une unité, une seconde, par exemple, et ensuite nous allons la diviser en une demi-seconde passée et une autre à venir. Il faut donc une attention particulière, extrêmement détendue, pour percevoir l'ici et maintenant qui échappe à la mesure, pour le saisir sans rien figer et découvrir qu'à l'arrière-plan du changement se trouve l'éternité ou l'éternel présent, c'est-à-dire un Réel qui n'est pas impliquée dans le changement et le temps.

La compréhension de l'impermanence passe également par les notions d'indéfini et d'infini. L'indéfini, c'est ce qui ne s'arrête pas, qui n'a pas de limites. On peut ainsi aller indéfiniment plus loin dans le temps ou dans l'espace. L'idée d'infini exprime autre chose, une réalité que je ne peux définir que négativement, par l'absence même de tout attribut. Parler de l'infiniment grand ou de l'infiniment petit est déjà impropre car l'infini n'est en lui-même ni grand ni petit. Concrètement, par la pratique spirituelle, on peut faire en sorte que l'infiniment petit de l'instant révèle l'infiniment grand de l'éternité. Dans notre perception courante, nous saisissons l'éternité comme quelque chose qui ne va jamais s'arrêter, comme une prolongation indéfinie du temps. Woody Allen exprime cette idée avec beaucoup d'humour: «L'éternité, dit-il, c'est long, surtout sur la fin.» Non, l'éternité, c'est l'éternel présent, et il est tout à fait possible d'y accéder. Point besoin pour cela de méditer huit heures durant tous les jours pendant dix ans comme peuvent le faire les yogis ou les moines bouddhistes.

Cette réalisation, beaucoup d'entre nous en ont un commencement d'expérience. Quelquefois nous avons l'impression que le temps s'est arrêté et que le moment que nous vivons est si parfait que nous voudrions qu'il dure éternellement. Alors qu'à l'ordinaire nous souhaitons toujours quelque chose d'encore plus intéressant, plus intense, plus vivant. Nous avons tous l'expérience de ces instants particuliers où le non-temps se révèle. La pratique spirituelle en permet une saisie plus méthodique, elle ramène inlassablement notre attention sur l'instant présent, sur le réel relatif et sans cesse changeant de l'instant. Sur ce qui est, pas sur ce qui devrait être.

Savoir si la mesure est une dimension de la conscience ou du réel lui-même n'a pas d'importance car la métaphysique vécue nous libère de toute mesure. Quand elle se stabilise, cette réalisation apparaît comme extrêmement simple. Pour exprimer cet état, les hindous emploient le mot sahaja, qui signifie «naturel». Cela peut surprendre car nous aurions tendance, en raisonnant à partir de notre éducation et de notre culture, à croire que la réalisation du Soi est quelque chose de surnaturel. Pour l'Inde, c'est le niveau de conscience habituel qui n'est pas naturel, qui est une espèce de rêve, d'illusion, de confusion, d'erreur.

Cette ouverture à l'éternel présent nous apporte une immense liberté par rapport au passé ou au futur. La conscience ne consacre plus qu'un minimum de pensée, des pensées légères, au regret de ce qui a été. Une pensée se présente : « Cette semaine de vacances s'est parfaitement déroulée », et nous passons à une autre pensée, délestée de toute émotion, qui ne laisse pas de trace. De même pour le futur. Une vérité devient évidente : il n'y a que des situations, le mental en fait des problèmes. L'anxiété disparaît de nos existences, libérant la lucidité. Les sages orientaux citent ce proverbe anglais : « Attendez d'avoir atteint la rivière pour passer le pont ! » Pourquoi se donner du souci maintenant pour un événement qui doit se produire dans trois semaines ou qui ne se produira pas ? Et, si je meurs d'ici là, je me serai inquiété pour rien.

La prééminence de l'ici et maintenant est une idée qu'on retrouve dans toutes les traditions spirituelles. Le passé est passé, le futur est à venir. Penser lucidement, penser utilement, penser véridiquement est ce que Swâmi Prajnânpad dénommait « voir ». C'est la fonction de la buddhi (l'« intellectualité » et non l'intellectualisme), une buddhi acérée (agra) et subtile (sukshma). On peut revoir son passé ou prévoir ce qui va arriver, si cela est nécessaire. Une partie de notre existence consiste à anticiper, cela personne ne le nie – et même un sage doit réserver à l'avance son billet de train –, mais on peut se dispenser des pensées inutiles, s'alléger des ruminations du passé, des regrets que les choses se soient produites ainsi, qu'elles n'aient pas duré, abandonner les cogitations qui ne préparent aucune action concrète mais génèrent une inquiétude inutile.

Là encore, il faut rappeler l'affirmation fondamentale selon laquelle nous vivons une certaine forme d'illusion. Une illusion dont nous pouvons nous éveiller par la pratique spirituelle. Reprenons ici une autre image célèbre : celle de la corde abandonnée que dans le crépuscule nous prenons pour un serpent. Cette image parle évidemment davantage à un hindou qu'à un Français puisqu'on trouve encore en Asie des serpents dangereux. En Inde, à deux reprises, j'ai vraiment cru voir un serpent là où il ne s'agissait que d'une corde oubliée dans un champ. Sans trop m'approcher, j'ai fait du bruit, j'ai jeté un caillou, le serpent n'a pas bougé. Je me suis avancé pour voir où étaient sa tête et sa queue et comprendre dans quel sens il pourrait s'élancer vers moi. J'ai fini par voir que c'était une corde. Cela ne m'a pas servi de leçon définitivement puisque je me suis fait piéger une seconde fois lors d'un autre séjour !

On peut élargir cette expérience d'éveil à tout notre monde phénoménal fait de bonheur et de malheur, de réussite et d'échec, de naissance et de mort. Il est également possible de l'appliquer à des situations beaucoup plus immédiates, relevant plus de la psychologie que de la métaphysique. Comment se fait-il que nous ne percevions pas la réalité et de quelle manière confondons-nous la corde et le serpent ? Pour le Vedanta, c'est la fonction même du mental, manas. La tradition lui accorde la double fonction de cacher ce qui est (je ne vois pas la corde) et de créer ce qui n'est pas (je vois un serpent). Notre perception naturelle de l'existant est à la fois une obnubilation et une création de notre esprit. Cela ne signifie pas pour autant que nos créations mentales ne soient rien : dans mon esprit, c'est indubitable, il y a bien une corde. Une des Upanishads majeures enseigne cette invocation : « De l'irréel conduis-moi au réel. » Nous pourrions aussi bien traduire : « De ce qui n'est pas conduis-moi à ce qui est. Du serpent conduis-moi à la corde. Du non-vrai conduis-moi au vrai. » La pratique spirituelle permet de voir la réalité relative telle qu'elle est, comme complètement relative, comme un ensemble de jeux de relations, et voir aussi qu'elle est sous-tendue par une réalité non impliquée. Qu'est-ce que cela change pour l'océan que des vagues naissent et meurent ? L'océan représentant le fondement de la conscience en deçà des dualités et du jeu des contraires tandis que les vagues désignent la perception et les conceptions changeantes qui se succèdent en nous dès que nous émergeons du sommeil nocturne.

Si nous progressons sur le chemin de la sagesse, nous voyons que notre bonheur et notre malheur dépendent de nos interprétations. Nous sommes heureux lorsque le monde correspond à notre attente du moment et plus il y correspond, plus nous sommes heureux. Or, il se trouve que nous n'avons qu'un pouvoir très limité pour faire en sorte que cette correspondance s'établisse.

Le plus souvent, le monde ne correspond pas à ma demande et j'en souffre. Cette situation s'amplifie dans les

relations avec autrui. Les autres ne sont pas des marionnettes dont je pourrais tirer les fils, ils ne sont pas mon
prolongement. L'ego fait preuve d'un impérialisme force-
né, il est une demande frustrée que tout réponde toujours
à mon attente y compris les autres. Nous jugeons sans
cesse nos semblables : « Il devrait faire ceci », « Elle ne
devrait pas dire cela ». Comme nous disposons d'un petit
pouvoir sur les événements, nous nous accrochons à 1 idée
de l'accroître. Je voudrais que cette femme soit amou-
reuse de moi, que ce contrat soit signé. Nous nous butons
dans cette attitude. Si le monde était vraiment bien fait, il
correspondrait instant après instant à notre demande du
moment. Mais nous pouvons renverser la perspective : et si
c'était à nous de correspondre à chaque moment à l'indiscutable vérité du monde ?

Si j'adopte cette attitude, je ne suis plus en conflit, je
ne souffre plus. Il ne s'agit pas du tout de se résigner par
faiblesse ou lâcheté : « Mon enfant est malade, il va mourir,
amen, c'est parfait ! » Non, dans pareil cas, j'appelle immédiatement le médecin en choisissant d'accepter que mon
fils soit, à l'instant même, malade. C'est une capitulation
positive. Il n'est plus question de discuter l'indiscutable.
Une infirmière m'a raconté un jour ce que lui avait dit une
mère rencontrée dans un hôpital afghan : « Allah l'a donné,
Allah l'a repris, Allah est grand. » Cette maman venait de
perdre son enfant. L'infirmière était révoltée par une telle
attitude. Non, cette mère n'était pas un monstre. Elle aimait
son enfant comme toutes les mères du monde. Mais cette

résignation nous semble insupportable. Elle n'est pourtant pas le propre de l'Orient. Pour une grande part la tradition chrétienne repose sur cette conviction : tout ce qui m'arrive est la volonté de Dieu et «tout concourt au bien de ceux qui aiment Dieu».

Pour atteindre cet état nous devons nous libérer de nos émotions. Cela ne signifie pas que nous devenons inhumains. Mais nous découvrons qu'à l'arrière-plan de notre souffrance se trouve une grande paix. Swâmi Prajnânpad m'a dit : «Un sage n'a pas d'émotion. Une brique n'en a pas non plus.» C'était net et clair. Le sage est extrêmement sensible. La première chose à faire quand j'éprouve un ressenti de tristesse, c'est de l'accueillir complètement. Je ne laisse aucun décalage entre ma tristesse et moi, je n'y résiste pas. À ce moment-là, je peux saisir que cette tristesse est une expression de la Réalité ultime et que Dieu, si nous osons employer ce mot si galvaudé, est au cœur de la tristesse. Car tout ce que nous éprouvons, qui relève du relatif, de l'impermanent, du conflictuel, manifeste l'absolu. Chaque vague, chaque irisation à la surface de l'eau est une manifestation de l'océan unique.

Pourquoi l'absolu ne nous est-il pas immédiatement révélé ? Il est voilé par le sens de l'ego, de la conscience individuelle limitée et séparée. L'ego ne devrait pas se traduire par «moi» mais par «moi et». L'ego est, en effet, synonyme de deux. Le moi implique un non-moi, un sujet et un objet. Dès notre petite enfance, notre conscience divise le monde des perceptions et des conceptions. Le sujet oppose ce qu'il aime et ce qu'il n'aime pas, ce qui le gratifie et ce qui le frustre, ce qui le rassure et ce qui le menace, ce qu'il déclare bon et ce qui est mauvais. Cela commence avec les premières sensations du nourrisson : sur la base de ce qui affecte d'abord son corps, son vécu immédiat, se construit peu à peu un système d'évaluation, fait de « paires d'opposés ».

Ce type de dualisme inhérent au fonctionnement intime de la conscience règne sur les relations interpersonnelles. Ce qui fait le bonheur des uns fait le malheur des autres. À longueur de journée, nous qualifions le moindre événement, la moindre situation. À partir de cette qualification, nous réagissons, nous accueillons ce qui nous convient et nous résistons à ce qui ne nous convient pas, nous tentons de le nier. Je suis de bonne humeur et puis quelque chose me rend furieux. Je n'ai pu éviter cette réaction intime. À partir de cette émotion que le courant de l'existence a eu plein pouvoir de m'imposer, mon comportement devient une réaction compulsive.

Chacun fonctionne à l'intérieur de son propre monde, chacun évalue les situations à partir de son intérêt du moment. Aujourd'hui je trouve ennuyeux qu'il pleuve mais demain, si mon jardin se dessèche, je trouverai la pluie bénéfique. Bon mauvais, bien mal, le Bien le Mal, toute la chaîne des qualifications se construit sur ce mode d'oppositions. La perception du Bien, quant à la révolution d'Octobre, d'un compagnon de Lénine différait totalement de celle d'un moine orthodoxe. L'histoire, c'est l'enchaînement tragique des convictions contraires à propos de ce qui est bien et de ce qui est mal, de ce qui est le Bien et de ce qui est le Mal. Pour les Français, Waterloo est une défaite, pour les Anglais une fantastique victoire. Dans le détail de notre vie intime comme dans les grandes manifestations collectives, personne n'agit pour l'amour du Mal mais toujours pour l'amour du Bien tel qu'il le comprend. Cela s'applique aussi aux cas les plus extrêmes. Les officiers allemands qui exterminaient les Juifs étaient convaincus d'agir non seulement pour le bien du Reich mais de toute l'Europe.

Agir oui, répondre intelligemment et courageusement à la demande des situations, mais à partir de quelle vision ? D'où émanent en nous l'intention, la décision et l'acte ?

Jean-Louis Cianni

Capituler devant le destin… Le papillon nous a conduits une nouvelle fois à la limite du pensable occidental, au bord de la falaise abrupte où notre champ de représentation et d'action s'arrête.

L'homme occidental ne capitule pas devant le destin. Il en reconnaît, bien entendu, l'existence sinon le poids écrasant, mais son destin est davantage une détermination à la fois biologique et ontologique qu'un ordre du monde. Le philosophe, comme d'ailleurs le premier homme venu, sait bien qu'il va mourir, qu'il n'échappe pas au temps qui passe, que ce temps le fait, que son existence n'est ni concevable ni vivable sans le temps. S'il est un destin incontestable, irrémédiable, c'est bien celui-ci, niché au cœur même de toute conscience. Constat tragique d'une mort annoncée. Démoralisant et incitatif. Mais toujours éphémère puisque la vie mobilise constamment toute notre énergie. Voilà le seul destin qui se puisse connaître.

De savoir ensuite si une réalité abstraite nommée Destin commande l'existence, si l'homme est déterminé ou libre, s'il est prédestiné comme certains en ont fait l'hypothèse religieuse, relève de ces questionnements intéressants, voire passionnants, qui émaillent l'histoire de la pensée. Les stoïciens sont ceux qui sont allés le plus loin dans la croyance au destin. Selon eux, l'homme ne maîtrise rien du cours de sa vie. Il est le jouet d'un destin aveugle qui lui donne son apparence, ses qualités physiques et intellectuelles, son caractère, sa famille, sa fortune. Sa santé, sa survie dépendent d'un faisceau de causes extérieures sur lesquelles il ne dispose d'aucun pouvoir. D'où les malheurs de l'homme, ses souffrances inévitables. Et son sort misérable entre recherche du bien et fuite des maux qui le menacent. L'homme n'est qu'une particule élémentaire d'un grand Tout organique auquel il doit se soumettre. Cette totalité, c'est tout à la fois Dieu, la nature et la raison. Vivre en stoïcien revient donc – et c'est bien le seul et mince espace de liberté laissé à l'homme – à vivre selon la raison, à chercher en tout point la cohérence, voie royale de l'indépendance et de l'ataraxie (absence de trouble). La raison fonde à la fois une théorie de la connaissance et une sagesse pratique applicable au quotidien.

Le stoïcisme est resté vivace même aux temps de l'hégémonie de l'Église qui a recyclé nombre de ses principes et préceptes. Quand Descartes, par exemple, estime préférable de « changer ses désirs plutôt que l'ordre du monde », il répercute un enseignement stoïcien. La différence avec les doctrines auxquelles se réfère Arnaud Desjardins, c'est que pour les stoïciens la valeur suprême, la cohérence à soi et au monde, demeure une valeur rationnelle.

Parmi les doctrines du destin les plus marquées encore on pourrait rappeler l'occasionnalisme de Malebranche. Pour ce philosophe à la fois cartésien et chrétien, tout ce que pense l'homme et tout ce qu'il fait, loin de dépendre de lui, n'est que l'occasion pour Dieu de se manifester. Lever le bras, marcher sont là des actions qui ne trouvent pas leur origine ni leur raison pas plus que leur maîtrise dans un sujet acteur, voire consistant. Tout se passe comme si le sujet était traversé par une volonté venue d'ailleurs, sorte d'émanation de la puissance divine. Le croyant n'est pas un sujet au sens philosophique et complet du terme, c'est un être soumis, secondaire, minuscule, de dignité très faible – un « moi haïssable », pour reprendre la formule de Pascal. Un être soluble dans la grande volonté de Dieu.

Mais si tout est volonté divine, si tout est destin, pourquoi le refus de capituler ne le serait-il pas non plus ? Car c'est bien cela le propre de l'homme : disposer d'une marge de manœuvre, aussi infime soit-elle. L'homme n'est pas un cachet effervescent à fondre dans le grand bain des déterminations, il est au contraire celui qui toujours en émerge, qui résiste à la dissolution. Un être qui dérange l'ordre soit-disant établi, qui introduit de l'imprévu, modifie les données du réel même s'il ne parvient jamais à y échapper. L'homme est dans le flux du destin mais pour s'y opposer afin de construire son destin.

Bien entendu la construction est difficile, hasardeuse, imparfaite, à l'origine de bien des souffrances et des déconvenues. Le monde ne répond pas à mes désirs, il résiste. J'en ressens de la frustration. Pire, dans la confrontation au monde, mon projet risque à tout moment de perdre son sens. C'est bien cela, l'« absurde » d'Albert Camus, un sentiment diffus que j'éprouve quand le monde ne répond pas à mon attente. Sisyphe… Pour vivre, il n'est pas indispensable d'imaginer Sisyphe heureux. Il faut juste le laisser derrière nous, comme une ombre sur ce chemin pentu où nous poussons notre rocher.

Mais il arrive que notre souffrance vienne de nous et seulement de nous. Des illusions que notre esprit engendre. Cela, aucun philosophe ne le démentira. Mais l'illusion est-elle seulement un obstacle ? Pourrions-nous vivre si notre esprit était constamment et uniquement hanté par la vraie et juste vision de la réalité, à savoir notre mort à venir ? Nous vivons dans cette destination mais nous sommes pourvus d'un pouvoir compensateur de l'oublier. L'illusion est aussi cela : une intensité psychique qui donne du sens à la vie. Tout ce qui donne du sens à la vie est au fond tissé d'illusion : l'amour de l'amant, le rêve de l'artiste, le projet de l'homme politique, etc. L'illusion n'est pas le

produit d'un psychisme altéré mais d'une impulsion créatrice, féconde, utile.

À l'origine de notre souffrance, selon Arnaud, se trou-
verait la dualité de notre moi, sa division intime. Là encore,
est-ce vraiment un mal ? La division est l'essence de l'esprit. Si l'esprit se confondait avec le réel, s'il adhérait à lui,
il lui serait impossible de fonctionner comme un esprit.
Certaines formes de psychose témoignent de cette difficulté à être, de cette souffrance infinie de personnes dont
précisément l'esprit ne peut s'abstraire du réel. L'esprit
cache ce qui est et crée ce qui n'est pas, dit la tradition hindoue. C'est heureux ou en tout cas indispensable, répond
la philosophie occidentale. Car si l'esprit ne créait pas de
l'illusion, il adhérerait tout entier au réel, se confondrait
en lui et aucune symbolisation, c'est-à-dire aucune pensée,
ne serait possible. Si l'esprit ne cachait pas ce qui est, il ne
pourrait pas ensuite en faire une re-présentation. L'esprit
se distingue du réel et il le recrée. Il fonctionne comme un
écran et aux deux sens du terme : une surface qui cache et
une surface qui protège.

La conscience, on l'a vu, inscrit l'homme dans la sphère
indissociable du deux. Je ne fais jamais un avec moi-même.
C'est le célèbre « Je est un autre » de Rimbaud. Il y aura
toujours un moi et un je, une relation. Il y a toujours aussi
de l'autre dans l'unité que je constitue et qui me constitue.
Autrui est présent en moi comme une structure intériori-
sée au fil d'une éducation, faite mienne au plus profond de
mon moi. Alors le plus important n'est pas de jeter le bébé

avec l'eau du bain, d'accélérer l'évacuation du moi divisé. L'essentiel est au contraire de reconnaître et d'accepter cette différence au sein de mon unité, d'explorer mes divisions internes. Tenter de vivre en paix avec soi-même, ce n'est pas un objectif d'une grande hauteur spirituelle. C'est la tâche humaine par excellence.

La philosophie antique concevait la pensée comme un dialogue de l'âme avec elle-même. Rien ne nous empêche de redonner toutes ses vertus à cet entretien intérieur. Le dialogue avec soi-même, loin de se comprendre comme une activité égotiste, une pratique égoïste, précisément parce qu'il redonne à penser, vient rompre le cercle silencieux de Narcisse. Se parler, s'entendre, c'est donc déjà se traiter comme un autre, se parler en tant qu'autre. Le débat intérieur permet ainsi de retrouver au plus profond de notre singularité ce que Nietzsche appelait les « hiéroglyphes de la vie universelle ». Penser, ce n'est pas se perdre dans son intimité, c'est au contraire changer de dimension, s'ouvrir à l'humanité.

Dans une société qui voit dans l'ordinateur le modèle de notre activité mentale et dans la distraction la plus haute forme de vie, c'est-à-dire celle qui nous demande le moins de pensée possible, la médiation intérieure devient un acte de résistance à un environnement infantilisant et culpabilisant. Penser, c'est retrouver de la souveraineté.

C'est bien ce que nous enseignent les épreuves de l'existence. Nous les vivons souvent en solitaires, et c'est d'abord en nous que nous trouvons la force d'affronter le réel. Dans l'épreuve, nous apprenons à vivre et à penser par nous-mêmes. La faiblesse, la seule faiblesse, c'est de renoncer à exercer sa propre pensée.

La seconde serait de renoncer à connaître la pensée des autres, de ne pas s'enrichir de cette pensée, de ne pas y répondre. La chenille avance comme elle peut sur le terrain difficile du doute et du questionnement. Le papillon vole sans crainte au-dessus de l'abîme. Qui a raison ? Qui détient la vérité ? Ces questions ont-elles encore de l'importance ? Il vaudrait mieux en poser d'autres : quel étrange destin commun les rapproche ? Pourquoi ne sont-ils ni indifférents ni incompréhensibles l'un à l'autre ?

8

Retour à l'enfance

La voie offre-t-elle une possibilité de salut ? La sagesse du sage vivant propose-t-elle un accomplissement de l'homme ? Un retour à l'innocence de l'enfant ? Une déification de l'homme ?

Arnaud Desjardins

Qu'entendons-nous par le mot « Dieu » ? Si nous posons la question à un juif, à un chrétien et à un musulman, nous obtiendrons des réponses bien différentes. Tous ont pourtant une idée de Dieu. Les conceptions de Dieu sont très diverses, y compris au sein d'une même religion. Dans la tradition chrétienne, Maître Eckhart découvre jusqu'à une Déité au-delà de Dieu. La théologie hindoue est elle-même très complexe. Elle pose un absolu, apophatique, grammaticalement neutre en sanskrit, on ne peut rien en dire, c'est une réalité plus grande que le plus grand, plus petite que le plus petit, plus éloignée que le plus éloigné, plus proche que le plus proche. C'est Brahman. Après lui vient le Dieu créateur, Brahma au masculin, que nous pouvons nous représenter, avec lequel nous pouvons avoir une relation et qui se manifeste lui-même sous trois aspects : Brahma, Vishnou et Shiva, la création, le maintien, la destruction.

Certaines religions sont ouvertes à l'idée d'une Réalité ultime, dans une conception plus métaphysique que théologique. L'idée de l'océan et de la vague est illuminante, alors que les catholiques se demanderont si ce n'est pas du panthéisme, à quoi d'autres répondront : non, du panathéisme. Allah, God, Ram, Adonaï, Elohim, le Père qui est aux cieux… Dieu peut recevoir des noms très divers. L'islam lui en accorde quatre-vingt-dix-neuf et le centième est imprononçable, à l'image du nom suprême pour les juifs. On trouve également des textes de la tradition chrétienne apophatique soutenant que l'on ne peut rien dire de Dieu. C'est une approche particulière qui ne touche pas directement le cœur, alors que si on se représente Dieu comme le Bien suprême, on s'adresse à la sensibilité. Si on examine une religion dans le détail, on verra qu'elle est faite de divers courants parfois opposés mais souvent complémentaires. La spiritualité cistercienne est différente de la spiritualité franciscaine. « Dieu », c'est d'abord un mot et des représentations si riches et si complètes mais également si infantiles, si limitatives, si anthropomorphiques. D'un point de vue qu'on ne peut nier, « Dieu » a été aussi une calamité pour l'humanité.

Ce qui me paraît grave, c'est de considérer que sa propre façon de penser, de sentir Dieu, est la seule vraie et celle de son voisin la fausse. Le grand message de la spiritualité hindoue, c'est que toutes les manières de se représenter Dieu sont à la fois justes et incomplètes. Vous pouvez croire en Jésus si cela vous aide, mais il y aura toujours un Dieu au-delà même du Père. La religion dévotionnelle n'est pas exempte de tout reproche. La croyance peut conduire à un pitoyable infantilisme pleurnichard… On appelle Dieu au secours et puis, quand tout va mieux, on oublie complètement le Dieu en question. Pour ma part, je parle et j'écris pour des femmes et des hommes qui cherchent à sortir de la confusion, du conflit et de la souffrance, qui sentent qu'il y a « quelque chose » à trouver qui ne pourra plus jamais les décevoir.

Je me réfère une fois encore à cette parole d'Irénée : « Dieu s'est fait homme pour que l'homme puisse se faire Dieu. » On peut lui donner toutes les nuances que l'on veut mais un chrétien ne peut la rejeter. Les soufis admettent eux aussi qu'on puisse dire : « Je suis Dieu », comme le fit Hallaj. Quels sont alors ce Divin et cette participation humaine au Divin ? On nous dit : « Une fusion sans confusion. » Celui qui cherche, qui sent qu'il existe une vérité spirituelle à découvrir, est-ce que cette parole peut l'aider ou non ? Je ne raisonne ni comme un théologien ni comme un philosophe. Je n'ai pas cherché seulement une vérité intellectuelle mais avant tout la possibilité d'une expérience, d'une réalisation, d'une transformation personnelle. Les textes et leurs formules m'ont aidé parce qu'ils m'ont obligé à réfléchir, parce qu'ils ont inspiré ma recherche, mais tout ce que j'ai pu dire ou écrire a toujours été destiné à un public qui cherchait une pratique et non un savoir.

La voie n'est pas un questionnement sans fin. Si un homme a été blessé par une flèche, a dit le Bouddha, l'urgent et l'important c'est d'extraire la flèche qui le fait souffrir et non de savoir qui est l'artisan qui l'a fabriquée ou de quelle forêt provient le bois dont elle est faite. C'est le message du Bouddha à destination des hindous qui ne sortaient pas du jeu des questions et des théories de plus en plus élaborées : laissez tomber tout cela, il s'agit seulement de regarder et de s'éveiller. Bien entendu, les questions se posent : pourquoi y a-t-il quelque chose plutôt que rien ? Pourquoi est-ce que Shiva danse au lieu de demeurer immobile ? Pourquoi naître si c'est pour mourir ? En vérité, nous connaissons les réponses. Ce qui naît est destiné à mourir. Après la vague il y a l'océan et avant la vague il y avait aussi l'océan. Le mouvement ne s'arrête jamais et c'est pour cela que notre questionnement se poursuit toujours. Or il y a bien un moment dans la transformation personnelle où l'accomplissement se produit. On atteint l'autre rive. La quête intellectuelle ou les pratiques physiques n'ont pas de fin. Mais la recherche de l'ouverture du cœur, de la paix intérieure, de l'unité parfaite, de la compassion infinie, connaît bien un terme, elle. Elle s'achève dans la disparition du sentiment de manque.

Mais je n'enseigne pas pour autant une « maîtrise » de la sérénité. Celle-ci suppose qu'il y a encore un ego maître de la sérénité. Dire : « Le sage maîtrise la sérénité », c'est encore une fois poser une dualité. Un conducteur maîtrise son véhicule, il freine, accélère, ralentit. La sérénité

dont je parle ne fait plus appel à une intervention ou à
une maîtrise. L'unité est atteinte. Vouloir à tout crin aider
les autres relève encore de la névrose. Il existe un «complexe du sauveur». Certains veulent sauver le monde par
le socialisme, la psychanalyse ou encore le catholicisme
intégriste. D'autres veulent débarrasser les hommes des
fausses religions. Cette névrose du salut est un désastre.
Elle cache mal sa nature de projection : j'ai besoin d'être
sauvé donc j'entends sauver les autres. Tout cela relève
de la psychologie et des motivations inconscientes. Je ne
cherche plus à sauver mes semblables mais je constate une
disponibilité, comme quelqu'un qui, dans une période de
famine, disposerait de grosses réserves de nourriture dans
sa cave et dirait à ses voisins : «Les portes sont ouvertes,
servez-vous.»

Mes livres, les rencontres que j'anime sont des moyens
de partager une expérience. Ce que j'ai découvert en
Inde m'est apparu si important et si beau que j'ai voulu
en témoigner par des films et des livres. Aujourd'hui, je
reste disponible en fonction de mes capacités actuelles.
Mais mon objectif n'est plus de donner pour donner – en
vérité par besoin de donner. Avoir envie de donner, ce n'est
pas encore l'accomplissement ni le don pur. Les sages que
j'ai rencontrés incarnaient cette disponibilité. Ramana
Maharshi mourait rayonnant d'un cancer. Swâmi Shi-
vananda se paralysait sur sa chaise longue et son visage
devenait d'une beauté impressionnante et convaincante.
Aujourd'hui, Mata Amritanandamâyi, qui est célèbre

dans le monde entier, apparaît comme une incarnation de l'amour. C'est un miracle vivant. Elle prend des milliers de gens dans ses bras douze, quatorze heures d'affilée comme une mère prend son enfant bien-aimé. Elle fut au départ une femme de «basse caste» sans aucune instruction et ses superbes réponses ne peuvent venir que d'une immense réalisation intérieure. Enfant, elle a été brutalisée parce qu'elle paraissait bizarre, différente, toujours en prière ou en méditation. Et puis le temps de la reconnaissance est venu, le gouvernement indien s'est déplacé pour elle. Elle a parlé devant l'Onu, l'Unesco. Cette femme inculte répond parfaitement sur le sens de termes sanskrits qu'elle n'a jamais étudiés. Mâ Ananda Mâyi, que j'ai beaucoup fréquentée, n'avait pas fait d'études elle non plus.

Je ne donne aucun «diplôme d'éveil» mais j'ai souvent ressenti une présence, un rayonnement totalement convaincants. Si nous rencontrons quelqu'un de «très avancé sur la voie», tout ce que nous avons le droit de dire c'est: «Je sens cette personne sans faille, tout est simple, net, sonne juste. Mais pour cette autre je ne vais pas le ressentir, j'éprouve comme un malaise.» La spiritualité ne donne ni titre de doctorat ni agrégation. Un maître donne son accord à un disciple pour qu'il enseigne. Moi-même, je ne me permets d'enseigner qu'après l'accord spécifique de Swâmi Prajnânpad, Mâ Ananda Mâyi et d'autres sages auxquels j'ai demandé leur bénédiction pour cette nouvelle activité et qui me l'ont accordée. Mais ce n'est pas sur la base d'un savoir. Ici en France, des êtres que je connais depuis très longtemps et qui ont vraiment changé en profondeur n'avaient pas le bac. La voie n'a rien à voir avec un cursus.

Ce qui me frappe, c'est de voir combien un enfant d'une dizaine d'années peut comprendre des vérités que des adultes ont beaucoup plus de mal à assimiler. À l'âge de dix ans, mon fils me reprenait souvent quand je disais, par exemple : « Il fait trop chaud » ou bien : « Untel a encore téléphoné ! » Il me disait en riant : « Pas ce qui devrait être, papa, ce qui est… » Je me souviens également du comportement surprenant d'un enfant qui devait avoir quatre ans et demi. Nous nous étions promenés tous ensemble dans une forêt et nous avions contemplé un superbe paysage baigné dans une lumière d'automne. Deux mois plus tard nous y étions retournés en famille. Temps pluvieux. Plus de feuilles aux arbres. Tout était gris. Je laisse échapper : « Évidemment c'est moins beau que la dernière fois. – Pas du tout », réplique le garçonnet. Je lui dis : « Mais souviens-toi, il y avait de la lumière, des couleurs. » Il répond : « Pour une forêt en automne, c'est complètement raté. Mais pour une forêt en hiver, je trouve ça très réussi. » Je suis resté sidéré.

Comment nous, adultes, pouvons-nous empoisonner nos propres enfants en leur apprenant à qualifier, à évaluer, à comparer, à quitter le monde réel ? Comment pouvons-nous gâcher le spectacle du monde réel, alors même qu'ils sont prêts à regarder les choses telles qu'elles sont ? Comment pouvons-nous transmettre de génération en génération ce « mental » qui constitue le cauchemar de l'humanité plus encore que les catastrophes naturelles ? Qu'est-ce que cela change qu'on soit furieux qu'il pleuve ? La pluie ne s'arrêtera pas pour autant de tomber et nous nous gâchons la journée. La force d'inertie des habitudes vient sans cesse interférer avec la réalité. Les enfants, me semble-t-il, ont immédiatement accès à la réalité. C'est là un thème universel : redevenir pareil à un petit enfant avec l'expérience et la maturité en plus. C'est cela, la sagesse.

Jean-Louis Cianni

Redevenir comme un enfant, quel beau programme ! Encore faut-il savoir de quel enfant on parle. Avant d'aborder cette question, revenons un moment aux précisions qu'Arnaud Desjardins vient d'apporter. Le voyageur spirituel ouvre une nouvelle voie différente de celles du croyant et du mystique. De celle du croyant, parce que la voie ne conduit pas à une expérience particulière de la divinité. Elle débouche sur un vide qui marque davantage un délaissement de soi, un abandon de l'ego, qu'une rencontre avec Dieu. La voie se réfère ici à ce que nous appelons l'« athéisme bouddhiste ». Elle vise à transformer l'homme en le délestant de ses désirs, en faisant disparaître ses manques, mais elle ne comble pas ce manque par un objet suprême (Dieu) ni un programme religieux (le paradis).

L'expérience spirituelle à laquelle renvoie Arnaud Desjardins n'est pas non plus assimilable à l'expérience mystique. Elle évoque l'extase, mais sans que la sortie de soi conduise à l'entrée en Dieu. Pas d'exaltation fiévreuse dans l'illumination. Le Soi refroidit le cœur du réacteur mystique. De la même façon, la concentration, la samâdhi, le maintien d'une attention complète, l'intériorisation par l'enstase n'apporte aucun objet mental affectivement investi. Nous sommes loin du célèbre enthousiasme platonicien, modèle antique mais aussi universel du transport mystique où l'âme est à la fois en Dieu et habitée par lui. Le vide est intérieur comme il est extérieur. Dieu n'est ni en moi ni au-dehors de moi. Il n'est un objet de désir ni de satisfaction, de fusion hallucinée ni d'intériorisation fantasmatique.

Dans le même esprit, Arnaud Desjardins distingue sa recherche de celle, très médiatique et à laquelle participent désormais de nombreux philosophes, du bonheur ou de la sérénité. La voie spirituelle vise la transformation de l'homme plutôt qu'un état particulier d'apaisement, la disparition de son ego plutôt que l'acquisition d'une qualité. Délivrance de l'esprit plutôt que salut de l'âme. Invitation plutôt que prescription de dogmes et d'interdits, indication de repères plutôt que compassion affectée ou générosité fallacieuse. Chacun reste libre de penser et d'agir, même si concrètement la voie engage, réclame du temps, de la disponibilité, un apprentissage. Le but est de libérer l'homme, pas de le soumettre, de l'alléger du poids de ses souffrances et de ses servitudes volontaires, pas de l'affliger ni de le rabaisser. On trouvera là des points de convergence, de correspondance, d'équivalence avec la bonne et vieille philosophie occidentale. Elle aussi entend rendre l'homme disponible pour lui-même, neuf, recommencé, ouvert à son possible. Une sorte d'enfant.

Mais de quel enfant s'agit-il ? Nous connaissons notre tendance à la nostalgie, sentiment qui embellit le passé pour se protéger le plus souvent d'un présent décevant ou d'un avenir inquiétant. Illusion rétrospective. Car il suffit d'observer un enfant pour reconnaître que l'enfance de la nostalgie est une enfance reconstruite, idéalisée, bien différente de l'enfance vécue. Faiblesse, dépendance, impuissance marquent les premières années de notre vie. L'enfance tout entière (elle compte en vérité des stades divers et très différents) ni toutes les enfances (il en est de réellement dramatiques) ne peuvent tenir lieu de paradis originel. Prétendre revenir à l'enfance pour revenir à l'enfance relève du fantasme.

Ce retour, s'il s'effectue sous certaines conditions, c'est-à-dire s'il s'inscrit dans une réflexion dynamique, peut s'avérer utile voire indispensable. « L'enfance est le puits de l'être », estimait Gaston Bachelard. Il soulignait par là l'importance de l'imagination dans le fonctionnement de notre pensée, qui est toujours en même temps construction de soi et production du monde, et l'importance de la période de l'enfance dans l'expérience de cette imagination créatrice. L'enfance n'est ni le paradis perdu ni le théâtre noir des traumatismes, c'est le temps où l'on se construit dans le jeu, c'est l'exploration d'un potentiel, l'accès au possible. La vie n'est pas toute jouée. Elle est ce qui s'annonce dans l'enfance, l'appel impérieux de ce qui va venir…

Dans les moments de crise, de désespoir et de solitude, la prise d'appui sur ce possible que notre enfance nous a révélé peut s'avérer décisive. Dans mon livre La Philosophie comme remède au chômage, une des méditations est consacrée à cette récupération de l'énergie psychique qu'on peut obtenir en revisitant son enfance, en puisant dans ses lointaines ressources. C'est un exercice de pensée à la fois différent et proche de la remontée psychanalytique à l'origine du fantasme. Il s'agit là de retrouver sa source personnelle d'être, son propre possible, sa propre disponibilité. C'est une phase dans un mouvement, non pas de « transformation spirituelle » comme dirait Arnaud Desjardins, mais d'autorégénération.

Bien entendu, la pratique philosophique rompt ici avec les standards universitaires et médiatiques. Elle s'inspire en les bouleversant des méthodes de la philosophie antique. Mais elle reste en définitive fidèle à l'esprit de la discipline. Si la philosophie est une thérapeutique, c'est parce qu'elle donne à la pensée une activité maternante, c'est-à-dire à la fois engendrante, relationnelle et consolatrice. On se souvient du mot de Claudel : « Toute connaissance est une co-naissance. » Chaque fois que nous sommes en situation d'apprendre nous nous ouvrons au monde, aux autres et à nous-mêmes, nous retrouvons un état d'enfance, une sorte d'innocence momentanée, un sentiment d'être neufs, un appel du possible, nous nous recommençons. Nous en sommes heureux, nous jubilons. Pour un temps, nous avons oublié notre supposé savoir intime, nous sommes allégés. En même temps nous sommes surpris, emportés par notre curiosité, nous avons l'impression de disposer d'un temps nouveau pour un nouveau chantier intérieur. Penser nous met en relation avec un chemin d'enfance et, bien souvent, avec le chemin natal. Chaque pensée répète en définitive le penser. Elle nous replace au creux de notre propre origine. Heidegger estime même que « nous n'avons pas encore commencé à penser ».

Philosophe en mauvaise santé luttant contre l'effondrement psychique, Nietzsche imaginait un état d'enfance pour le surhomme dont son Zarathoustra annonçait la venue poétique. Il y voyait le dernier stade d'un cycle de transformations assignables à l'homme sur le chemin escarpé du dépassement de l'homme. Premier stade de la métamorphose : l'être chameau, animal endurant, porteur de charges, adapté aux traversées des déserts ; il représente l'homme du devoir et des obligations. Deuxième stade : l'être lion, félin combatif et royal, symbole de puissance et de domination. Dernier stade, discontinu comme pour mieux marquer la rupture : l'enfant qui joue, qui crée, l'être détaché des pesanteurs du sens. Soumission, révolte, assentiment. L'enfant devient pour Nietzsche l'avenir de l'homme. Il y a là une idéalisation surprenante de la part d'un penseur, grand pourfendeur d'illusions et enfant sans doute « traumatisé », comme nous dirions aujourd'hui, par les morts rapprochées de son père et de son frère cadet.

L'enfance demeure en nous, c'est pourquoi il est bon d'y revenir, comme l'espace des médiations possibles, avec soi, avec le monde, avec les autres. Ces médiations me paraissent aussi essentielles que la recherche de moments de bonheur ou de phases de sérénité. L'épreuve, quelle qu'elle soit, détruit ces médiations, elle nous enferme et nous isole. L'autorégénération par la philosophie peut permettre de les rétablir, elle ne peut s'y substituer.

Faire et refaire des médiations, c'est la tâche de l'homme-chenille. C'est semble-t-il aussi celle de l'homme-papillon. En jetant un pont non seulement entre la spiritualité orientale et la spiritualité occidentale, mais entre toutes les spiritualités qu'il a visitées, Arnaud Desjardins tisse des médiations universelles. En cherchant, sans intention marchande ni compassion affectée, à partager une aventure personnelle intérieure qui peut être bénéfique pour d'autres, il lance un pont entre individus souffrants mais responsables. Sommes-nous très loin du cheminement philosophique qui depuis l'Antiquité dégage de sa masse individuelle un homme universel ? Nous écartons-nous de l'antique recherche philosophique des moyens théoriques et pratiques pour aider l'homme à supporter sa vie sans crainte ni espoir illusoires, de cette philosophie qui incitait l'homme à se libérer ?

L'itinéraire en tout cas de la chenille et celui du papillon ne vont pas en sens inverse et ils zigzaguent parfois ensemble. Comme, par exemple, quand ils s'imaginent enfants. Enfants, c'est-à-dire disponibles pour la vie. Disponibles pour penser et pour vivre, dégagés des fausses contraintes, des faux-semblants. Et indisponibles pour le cynisme et le ressentiment, l'ennui et le renoncement.

9

À quoi sert le gourou?

Pas de recherche spirituelle sans un maître qui l'oriente.
Maître à penser, directeur de conscience, accoucheur d'âme:
quel est le rôle du gourou? Pourquoi serait-il indispensable?
Comment se garder de toute manipulation mentale?

Arnaud Desjardins

On assiste depuis cinquante ans à un regain d'intérêt pour les enseignements spirituels. Il y a quelques décennies, Paris ne comptait qu'une seule librairie ésotérique, aujourd'hui on en trouve un peu partout ainsi que des rayons «spiritualité» dans toutes les libraires. Des universitaires spécialisés publient des travaux sur des questions spirituelles. C'est un phénomène qui a émergé dans les années 1960-1970 où on a vu des charters de jeunes partir vers l'Inde ou le Népal, rencontrer des maîtres hindous et tibétains, tandis que la mode du zen gagnait les États-Unis. Mais la recherche spirituelle reste néanmoins minime dans l'ensemble du contexte culturel. On apprend que tel acteur connu ou tel grand chercheur scientifique s'y intéresse, mais globalement le phénomène demeure hors de la sphère médiatique, qui n'est certes pas un moyen de diffusion des idées spirituelles.

Cette vie spirituelle ou cette recherche de la sagesse restent associées aux grandes religions. Dans l'Antiquité, les philosophes utilisent souvent le mot « Dieu » au singulier, ce qui témoigne d'une compréhension plus profonde que celle d'un simple polythéisme. Nous savons qu'il existait des écoles initiatiques, avec de « petits » et de « grands mystères », comme à Éleusis. Nous pouvons constater aujourd'hui qu'à côté de l'hindouisme populaire, émotionnel, qui a façonné la culture de l'Inde, il a toujours existé, ouvertement reconnues, des voies d'approfondissement, des voies ésotériques (qu'il ne faut pas confondre avec des voies d'occultisme). C'est très clair également chez les soufis, dont la compréhension de l'islam est assez différente de celle d'un musulman moyen. C'est ce que les musulmans nomment tasawuff, qu'on a traduit tantôt par « mysticisme », tantôt par « ésotérisme ». Au sein de la civilisation chrétienne, il n'y a pas de doute que, dans les monastères, un enseignement intérieur s'est transmis avec des méthodes et une littérature ascétiques et mystiques d'un grand intérêt et d'une grande finesse.

Mais dans le monde chrétien toutefois, la suspicion a toujours frappé les écoles « ésotériques ». Il reste des indices tendant à prouver l'existence d'enseignements initiatiques occidentaux avec des maîtres et des disciples, mais nous n'en savons pas grand-chose, sauf à travers une littérature peut-être fascinante mais sans bases rigoureuses, à l'exemple du livre Da Vinci Code. Nous ne trouvons aujourd'hui rien de comparable en tout cas aux enseignements transmis dans le monde hindou ou bouddhiste. On peut s'interroger sur les origines de la franc-maçonnerie : s'inscrit-elle dans une filiation initiatique, elle qui se réfère à une pensée symbolique, à des connaissances ésotériques transmises aux membres ? Mais même au sein de la franc-maçonnerie on ne trouve plus ces chaînes de maîtres et de disciples qui font la spécificité de la spiritualité dans l'hindouisme, le bouddhisme, l'islam et les écoles amérindiennes. En Inde, on vous posera souvent cette question : « Qui est votre maître, et le maître de votre maître ? » Même si les franciscains remontent à François d'Assise, nous ne retrouvons pas de chaînes aussi précises dans le monde chrétien. Et il reste une très grande différence entre la pratique du moine qui possède des méthodes de prière, de vigilance mentale, de purification et ce que la religion propose comme voie initiatique au simple chrétien qui n'est pas un moine et qui ne se sent pas appelé à le devenir.

Arrêtons-nous un instant sur le terme d'« ésotérisme », inutilement mystérieux et à la limite suspect alors qu'il désigne la compréhension intérieure d'une doctrine, la vie intérieure. Aujourd'hui, les Occidentaux redécouvrent ces lignées de transmission à travers les maîtres et leurs disciples. En Inde, personne ne trouve à redire si un homme s'engage auprès d'un gourou pour pratiquer le yoga ou suivre un enseignement spirituel. Mais ici nous résistons à l'idée d'un tel enseignement, en contradiction avec notre tradition où l'individu doit se construire lui-même après avoir reçu une éducation de base. Nous avons oublié les écoles de philosophie antiques qui étaient, elles aussi, des centres d'apprentissage spirituel autour d'un maître : Pythagore, Platon, Aristote, Épicure… Le triomphe du christianisme lorsqu'il est devenu la religion de l'Empire romain a refoulé cette longue tradition. Par la suite, l'Église a rejeté toute parole non strictement conforme à ses dogmes. La répression des courants hérétiques raconte le long refoulement de l'idéal de sagesse antique. La culture religieuse avec ses condamnations pour hérésie et ses anathèmes a prévalu en Occident au détriment des autres compréhensions. Elle a pu s'imposer de manière plus hégémonique encore que dans l'islam, par exemple, où les soufis n'ont pas tous été persécutés. Certes, on trouve toujours dans le monde chrétien la mystique des trappistes ou des carmélites, mais elle ne se transmet pas à un disciple laïque.

Les États-Unis ont sonné le réveil spirituel, dans le plus grand désordre il est vrai, avec de nouvelles querelles d'écoles et des condamnations mutuelles. Mais c'est un constat : l'homme occidental, sans doute parce qu'il s'est beaucoup affranchi de la religion, s'est remis à chercher au-delà du monde relatif. Dans les années 1960, même si j'ai fait partie des premiers Européens à rencontrer des maîtres tibétains exilés en Inde, je croisais dans mes voyages de nombreux Occidentaux également en quête. Puis les maîtres orientaux se sont mis à voyager eux aussi et, à partir de là, des centres ont pu se créer dans le monde entier. Dans le lieu que j'anime, nous ne sommes bien sûr qu'une minorité mais très ouverte. Parfois j'ai la surprise d'apprendre qu'une personnalité connue, mais que je n'ai jamais rencontrée, lisait mes ouvrages, comme Hergé, Paul-Émile Victor, la soprano Régine Crespin ou l'actrice Véronique Jannot. Des hommes politiques aussi. À Hauteville, nous avons reçu des religieux et des religieuses catholiques, des soufis, des rimpochés ou des moines zen, des écrivains comme André Comte-Sponville, Alexandre Jollien, Guy Corneau.

Je lis parfois dans des ouvrages des paroles que j'ai recueillies de Swâmi Prajnânpad, mais je ne suis pas pour autant cité dans les bibliographies. On mentionnera plus aisément des universitaires. Quand je lis qu'il faut nettement distinguer le sentiment de l'émotion, l'action de la réaction, ou «voir» de «penser», ce sont des formules de Swâmi Prajnânpad que j'ai mentionnées dès Les Chemins de la sagesse en 1968. Distinguer entre «être un avec l'émotion» et «être emporté par l'émotion», c'est aussi une formule de Swâmiji, comme beaucoup d'autres qui passent dans le domaine public. Mais en France des universitaires ou des psychiatres connus ne peuvent se permettre de mentionner quelqu'un qui assume une fonction de maître ou de gourou.

Pour un aspirant disciple, la voie compte plus que tout. Il voit toute sa vie à la lumière d'une exigence. Or, la voie, ce n'est pas seulement l'intensité d'une pratique spirituelle, c'est aussi la profondeur de la relation avec le maître et il y a là une dimension incompréhensible pour l'Occidental contemporain : avoir un gourou, c'est sacrifier au culte de la personnalité, c'est aliéner sa liberté au profit d'un autre. Or, le maître est une figure essentielle de la spiritualité. Son rôle est décisif chez les bouddhistes, les hindous, les soufis. La relation au maître est admise, reconnue, intégrée, respectée, vénérée même au lieu d'être suspecte si ce n'est condamnée. Cela dit, cette suspicion est parfois légitime et même recommandée.

Il ne faut pas confondre le psychique et le spirituel. Or, le « développement personnel » ne remet pas en cause notre façon de diviser l'existence entre ce que nous aimons et ce que nous n'aimons pas, il ne remet pas en cause l'ego lui-même. « La psychologie guérit le mental, la voie guérit du mental. » Ce n'est que par expérience que chacun pourra faire la différence. Pour reprendre l'image de la métamorphose, la psychothérapie concerne l'amélioration, tout à fait justifiée et nécessaire, de la chenille. Une personne trop fragile, mutilée sur le plan psychologique, divisée, désemparée, n'est pas mûre pour s'engager dans une discipline spirituelle exigeante et parfois momentanément perturbante.

Aujourd'hui, certains de ces êtres trop fragiles s'imaginent qu'ils ont droit tout de suite à l'enseignement ultime. Cela crée une confusion. Ils approchent des maîtres alors qu'ils veulent simplement améliorer leur fonctionnement psychique. Ils ne sont pas assoiffés de cette transformation qui réclame la mort à un niveau pour vivre à un autre niveau. Ils ignorent aussi qu'autrefois les maîtres testaient les disciples avant de les accepter, qu'il fallait en passer par des qualifications codifiées.

Le rapprochement avec la psychanalyse, discipline précieuse pour la connaissance de soi quand elle est efficace, permet d'éclairer la relation maître-disciple dans la pratique spirituelle. Tant qu'un disciple n'est pas au bout de son propre chemin, ses émotions et son mental interfèrent, mais c'est le rôle du maître de faire en sorte que ces interférences ne soient pas excessives, qu'elles ne recouvrent pas la sincérité du disciple sous un fatras de jalousie, de désespoir ni de fascination pour le maître, de faire en sorte aussi que le transfert et les projections n'occultent pas la recherche. Car, au fur et à mesure que le disciple progresse, il a de moins en moins besoin de son gourou extérieur. Il sait ce qu'il doit mettre en pratique. Le disciple intériorise son gourou, celui-ci n'étant pas considéré comme une autorité humaine mais comme la voix de la vérité. Certes, une relation très forte demeure entre disciple et maître mais elle se fonde sur la liberté. Liberté du disciple mais aussi liberté du gourou. C'est là un point de divergence avec les psychanalystes. Des praticiens que j'ai pu rencontrer soutiennent que cette liberté radicale est impossible et que le contre-transfert ne peut en aucun cas être éliminé.

La différence avec les sectes, en tout cas, est totale. S'il est très facile d'entrer dans une secte parce qu'elle pratique le racolage, il est plus difficile d'en sortir parce que tout le travail de la secte est de faire croire que le salut est impossible hors de ses murs. C'est l'inverse qui est vrai dans le domaine de la recherche spirituelle. Un maître ne fait pas de publicité et demande un engagement sérieux. En revanche, quitter un maître ne pose aucun problème. Le maître peut même aider dans ce sens. Cela m'est souvent arrivé de faire découvrir une autre voie à des personnes qui venaient à Hauteville. J'ai ainsi, par exemple, aidé une jeune femme à reconnaître sa vocation de moniale cistercienne. Un ancien prêtre ouvrier qui venait ici a pu se réconcilier avec l'Église. Le rôle du maître n'est pas d'avoir une emprise psychologique sur son disciple mais de le rendre plus libre, autonome, non dépendant.

Quand mes films à la télévision ont révélé au grand public entre 1960 et 1974 des pratiques et des rituels jusque-là inconnus, j'ai été invité par de nombreuses sectes. J'ai rencontré les membres du Mouvement pour la conscience de Krishna, par exemple, qui ne m'ont pas paru dangereux mais étroitement dogmatiques. J'ai eu des contacts avec des petites sectes comme les adorateurs de la Flamme Violette, du Graal, de l'Oignon… Elles étaient farfelues mais bien inoffensives. En revanche, je suis plus critique à l'égard des mouvements qui comptent des millions d'adeptes alors qu'ils ne proposent aucun véritable travail intime de purification. La secte, c'est l'anti-libération. Mais chaque secte accuse les autres d'être une secte et explique qu'elle est elle-même un modèle de non-secte. Personne ne peut se dédouaner lui-même. Il convient donc de s'informer et, en attendant l'éveil de la buddhi (l'intellect « acéré et subtil »), de faire appel à son bon sens.

Jean-Louis Cianni

C'est un constat : l'homme occidental contemporain a repris le chemin intérieur. L'intérêt pour la spiritualité orientale, l'attraction retrouvée de la philosophie depuis une vingtaine d'années en sont les principaux indices. Il en est d'autres plus surprenants encore, parfois caricaturaux, comme la montée en puissance des techniques de développement personnel ou d'épanouissement, le coaching, etc. Ce n'est pas un simple effet de mode, mais une tendance bien installée et qui perdure. Cet investissement collectif s'accompagne de conduites déviantes, toujours inévitables, destinées à exploiter la situation sur un plan financier. Le phénomène des sectes traduit cette volonté d'exploitation auprès de personnes sans aucun doute trop confiantes et le plus souvent vulnérables.

Les causes de cette nouvelle recherche sont connues. Les lacunes de la religion chrétienne, dans son enseignement et ses pratiques, la nécessité pour l'individu, valeur de référence ultime, de trouver par lui-même son régime existentiel sont les principales souvent avancées. Le regain d'intérêt pour la philosophie s'inscrit dans ce contexte. Mais la philosophie qu'on a redécouverte n'est pas la philosophie savante de l'université même si celle-ci a su s'orienter vers de nouveaux questionnements plus proches de la vie réelle ou de l'éthique. Ce n'est pas celle de Descartes, ni de Kant, ni même de Sartre, celle des grands systèmes représentatifs ni des théories explicatives. Cette philosophie-là n'est pas d'ailleurs rejetée, elle est sollicitée, remobilisée mais pour une autre finalité.

Car la philosophie retrouvée à la charnière du siècle est la philosophie antique, ou plus précisément son projet général : une pratique de soi destinée à mieux vivre. Cette mission philosophique, c'est Socrate qui l'initie dans les rues d'Athènes en posant ses questions insistantes jusqu'à l'irritation : « Est-ce que tu te connais toi-même ? Est-ce que tu t'occupes de toi ? Qu'est-ce que tu fais de ta vie ? » Ces questions, Socrate ne les lançait pas du haut d'une chaire, ni dans la quiétude d'un temple. Il les distillait sur la place publique, dans un gymnase, sous les pins, à la table du banquet. Questions mais aussi préconisations : « Occupe-toi de toi-même tant que tu es jeune, à cinquante ans, il sera trop tard ! » conseille Socrate à son ami Alcibiade.

La problématique du souci de soi traverse toute la philosophie antique, grecque, romaine et hellénistique. C'est un objectif de vie durant près d'un millénaire, depuis la période du rayonnement d'Athènes jusqu'à ce que le christianisme tienne lieu de morale et de philosophie officielles. Prendre soin de soi, faire quelque chose de sa vie, c'est mettre en marche sa pensée, sa connaissance de soi, se prendre comme objet de réflexion. C'est être pleinement soi-même, car notre spécificité, notre originalité, notre être à nous humains, c'est de penser, de nous éprouver dans notre vérité. Ce retour à soi a d'abord une implication pratique. Je peux avoir une action sur moi, telle que ce n'est pas la vie qui me fait mais l'inverse, en tout cas telle que je ne suis pas pure passivité. Pour autant que je reconnaisse que la vie ne se réduit pas à ce que je possède – biens, richesse, corps – ni à ce que les autres m'attribuent – mon image, ma notoriété, mon statut social – mais qu'elle est ce que je suis, à savoir un être qui est conscient de lui-même et qui a à faire avec lui-même, j'ai une marge de manœuvre. Je suis cette marge de manœuvre.

Ce retour à soi est ensuite une orientation en vérité. «Connais-toi toi-même et tu connaîtras la nature et les dieux», disait la formule gravée au fronton de l'oracle de Delphes dont Socrate s'est inspiré. Commencement absolu, la connaissance est voie d'accès à une connaissance plus large. L'option socratique dégage la pensée de la foi en même temps qu'elle la relie à un mouvement intérieur. Là s'origine une tradition de l'homme intérieur qui va rester vivante dans la pensée occidentale durant des siècles. Dans la République, Platon décrit l'homme comme un assemblage hybride d'un animal monstrueux à plusieurs têtes (les appétits, les désirs), d'un lion (le courage, le cœur) et d'un «homme intérieur» articulé aux deux autres dont la fonction est de les dominer au profit de l'homme entier. «Reviens à toi-même et regarde», conseille Plotin en invitant à la «sculpture de soi». «Ne sors pas dehors, rentre en toi-même; c'est dans l'homme intérieur qu'habite la vérité», affirme saint Augustin.

Le terme «ésotérique» prend tout son sens sous l'éclairage de cette tradition. Il est formé à partir de l'adverbe grec eiso qui signifie «à l'intérieur, au-dedans»; le suffixe ter apportant une nuance d'opposition entre deux côtés. Pour la philosophie, le caché existe, mais une des caractéristiques de la vérité, au sens grec d'aletheia, est précisément d'opérer un dévoilement, de faire venir à l'esprit ce qui n'était pas perçu ou ce qui était mal perçu. Mais autant l'opacité et l'obscurité peuvent être des données de départ reconnues comme telles par l'enquête, voire subsister à son terme, en aucun cas elles ne peuvent être valorisées comme fin de l'enquête ni survalorisées comme des critères supérieurs ou des opérateurs de vérité. La philosophie n'a pas pour but avoué d'enfumer les consciences. En Grèce, sa naissance marque un moment de rupture avec la pensée politique, religieuse et poétique, la pensée d'autorité, dont elle cherche à s'abstraire pour déployer sa propre logique et ses propres finalités.

Mais revenons à notre «homme intérieur», car c'est lui que nous retrouvons aujourd'hui. Le sujet occidental contemporain se trouve placé dans une situation paradoxale, il doit affronter une double contrainte: celle de donner du sens à tout à commencer par son existence, celle d'être assujetti à un univers de consommation de masse qui le réduit au rôle de particule excitable. Le retour à soi permet de se désintoxiquer de la sollicitation permanente de ses désirs (publicité), ses craintes (information), sa nature ludique (divertissement), il peut offrir un indispensable sas de décontamination, permettre précisément d'évacuer les sollicitations extérieures, de «faire le vide».

Mais ce que nous enseigne toutefois l'histoire de la subjectivité occidentale, c'est que l'homme intérieur ne peut constituer une fin en soi. D'abord parce que vivre ce n'est pas se replier sur soi, se retrancher du monde. Penser, ce n'est pas vouloir l'enfermement dans cette citadelle intérieure imprenable dont parle Marc Aurèle. Et la subjectivité, nous le savons et nous l'expérimentons, est aussi pouvoir de vide, de « néantisation » comme disent les existentialistes, elle n'est pas un lieu où le monde prendrait sa consistance première ou ultime, elle n'est même pas un lieu pour elle-même. La rechercher pour elle-même, c'est la rechercher et la trouver pour ce qu'elle est : un vide opposé au monde mais aussi un vide qui attend d'être rempli par autre chose que lui-même.

C'est pourquoi un exercice philosophique de la pensée ne se soutient que s'il débouche sur la rencontre avec l'autre et surtout sur la création avec lui d'objets communs aussi sophistiqués soient-ils dans l'abstraction intellectuelle. L'homme n'est pas un être uniquement centré sur ses besoins, ses désirs, son intérêt personnel et immédiat. C'est un être de l'échange, du désintéressement, de la curiosité insatiable pour l'autre.

L'exercice de la philosophie appelle-t-il une initiation particulière et un maître conduisant cette opération ? Le rôle du gourou dans la pratique spirituelle n'a rien de choquant. Socrate, Épicure, Épictète, pour ne citer que les principaux, s'imposaient à leurs disciples par l'intensité de leur présence et la hauteur de leur figure. Retiré dans son

Jardin, Épicure jouait le rôle d'un chef de communauté.
Épictète et les stoïciens reconnaissaient la direction de
conscience comme un vecteur incontournable de l'enseignement. Le philosophe antique était bel et bien à la fois
un enseignant, un conseiller d'existence et un manager de
l'âme. Pierre Hadot a rappelé que la contemplation de la
sagesse et du sage faisait également partie des exercices
spirituels des philosophes antiques. «Pour ma part, j'ai
l'habitude de consacrer beaucoup de temps à contempler
la sagesse», confie Sénèque. On s'intéressait pour mieux
l'intérioriser à ce que le maître avait dit, à ce qu'il avait fait.
La figure sublimé du sage réel incarnait le modèle dont il
fallait s'inspirer pour faire sa propre vie.

Mais la philosophie, même antique, ne peut se
confondre totalement avec la pratique spirituelle telle que
nous l'entendons aujourd'hui. Dans le Banquet, Platon
lui-même marque la différence. Quel bonheur ce serait, y
déclare en substance Socrate à un jeune et bel Athénien,
si le savoir coulait de ce qui est le plus plein à celui qui est
le vide, comme dans un système de vases communicants.
À partir de cette transmission directe impossible Socrate
dégage deux voies : soit l'enseignement se fait au forceps et
l'imposition de vérité est imposition de volonté, soit l'enseignement repose sur la liberté du disciple et alors il faut
en passer par le long et parfois pénible travail de la maïeu-
tique, art d'accoucher le sujet de sa propre vérité. Le champ
philosophique et plus largement celui de l'éducation occidentale se déploie sous cette exigence. L'assentiment est

un principe. C'est également une finalité. Le but de l'enseignement philosophique est clairement défini : il s'agit pour chacun de parvenir à penser par lui-même.

Notre éducation scolaire commence par une relation affective avec des institutrices et des instituteurs et se poursuit de même avec des professeurs. Mais le maître ne prend la place de personne, ni de la mère ni du père, il occupe une fonction. Nous pouvons préférer celle-ci à celui-là, intérioriser des pensées, des postures, des tics, nous souvenir toute notre vie de certains, affirmer notre reconnaissance, sauf cas extrêmes, nous ne les aimons pas véritablement. Là encore l'intériorité acquise est une intériorité ouverte, consultative plutôt qu'exclusive. La relation demeure lâche : après un maître en vient un autre. Et toute notre vie nous gardons le plaisir de satisfaire notre curiosité, nous nous nourrissons des livres et des paroles de tel ou telle conférencier (ère) mais à l'arrivée, sauf à nous aimer en ventriloques, nous voulons penser par nous-mêmes.

C'est de là sans doute que provient notre réticence envers le gourou. Et aussi du sentiment de notre faiblesse. Nous en avons fait, nous en faisons encore adultes l'expérience : notre esprit est fragile, versatile, désirant. Nous savons que certains de nos semblables utilisent à leurs fins le processus d'intériorisation. Nous avons appris à nous méfier, à passer par le filtre de l'enquête, de la vérification et du discours. Nous n'exerçons là rien d'autre que notre liberté de juger sans pour autant nous couper des influences extérieures.

Retourner à soi et penser par soi-même pour vivre mieux sa condition humaine, ces idéaux de la philosophie antique ont retrouvé une attractivité réelle. Ils ont certes perdu le halo des horizons métaphysiques et des enjeux surhumains, mais ils ont tout conservé de leur valeur pratique. À notre époque de grand recyclage mercantile, ils font bien entendu l'objet de récupérations hâtives et caricaturales. Chaque jour se lèvent de nouveaux apôtres d'une philosophie du salut bricolée et packagée pour répondre aux attentes de clients toujours plus nombreux. La philosophie peut aider à vivre, mais il revient à chacun de trouver comment. D'en faire l'«expérience personnelle», pour emprunter au langage d'Arnaud Desjardins. Mais, il faut le savoir dès le début, le questionnement philosophique retrouve sans cesse ce qu'il dépasse : souffrance, ambiguïté, illusion. La transformation de la chenille n'a pas de fin.

10
Quel avenir pour la sagesse ?

Le monde devient chaque jour un peu plus fou, en même temps que l'obscurantisme religieux et l'emprise des sectes progressent. Quel place demain pour la vie spirituelle? Que peut-elle encore apporter aux hommes?

Arnaud Desjardins

L'humanité connaît un vrai malaise dont témoigne la consommation élevée d'anxiolytiques. On constate une montée de l'inquiétude. Nous évoluons dans un contexte où les menaces se précisent de tout côté. L'homme prend de plus en plus de risques, il ne cesse de s'exposer toujours plus. Coupure d'électricité prolongée, panne informatique, désordre économique, crise financière, accident nucléaire, désastre écologique… les menaces sont nombreuses et les scientifiques le soulignent chaque jour. Le monde est frappé de ce que Nicolas Hulot appelle le «syndrome du Titanic»: nous fonçons droit sur l'iceberg et, comme dans le cas du Titanic, nous ne tenons pas compte des messages des bateaux de pêche. «Dieu lui-même ne peut pas couler le Titanic», telle était la devise… En vérité, nous avons heurté l'iceberg et nous continuons à discuter pour savoir si l'orchestre des premières classes doit jouer plus de valses ou plus de tangos au lieu de savoir si nous avons bien organisé les secours.

Je suis convaincu que nous allons assister à un grand réveil des consciences. J'en vois les signes précisément dans cette montée de l'inquiétude qui s'accompagne d'un intérêt croissant pour les enseignements de sagesse. Je fais confiance aux jeunes pour redresser la barre. Nombre de ceux que je rencontre échappent aux influences du monde actuel. Les nouvelles générations ont gagné en maturité. Pour ma part, à leur âge je ne pensais qu'à ressembler aux stars d'Hollywood, j'étais superficiel et conventionnel… Beaucoup, tout en utilisant Internet et les portables, souhaitent sortir le monde de cette course sans fin au progrès technique. On m'a parfois objecté : «Vous souhaitez revenir à la voiture à cheval et à la bougie ? » Oui je préférerais voir mes petits-enfants vivre ainsi plutôt que de mourir avec l'électricité et l'automobile. Le monde moderne, tel qu'il est apparu en Europe de l'Ouest, le monde de la «civilisation» et du «progrès», est une erreur prévue depuis longtemps par les doctrines spirituelles. Si vous lisez non pas l'Apocalypse mais l'Évangile, vous trouverez ce passage : «À ces signes vous reconnaîtrez que les temps sont arrivés, il y aura des guerres et des phénomènes effrayants, on dira heureuses les femmes qui n'ont pas enfanté…» Les hindous aussi ont prévu il y a deux mille ans une époque de totale dégénérescence spirituelle. Avec le progrès technique nous aboutissons toujours à une sorte de jeu à somme nulle : nous perdons d'un côté ce que nous gagnons de l'autre. Grâce à la streptomycine, j'ai survécu à une tuberculose, maladie qui faisait des ravages dans ma jeunesse, mais le cancer a pris le relais, puis le sida, puis la maladie d'Alzheimer.

Mais notre monde est aussi – c'est presque un lieu commun – celui qui voit le triomphe de l'avoir et du paraître sur l'être. Naguère, lorsqu'on voulait vendre un stylo, on réalisait une annonce publicitaire avec une photo montrant le stylo et un texte expliquant les qualités de celui-ci, une bonne plume, pas de coulures. Récemment, j'ai vu une « pub » avec la photo d'un jeune et séduisant businessman à son bureau flanqué d'une secrétaire mains sur le clavier qui le regardait amoureusement. Le texte disait : « Parce qu'il est un homme qui commande, il signe avec un stylo X. » Cette publicité résume une époque où l'on ne peut être qu'en ayant. Si vous ne possédez pas ce stylo, vous n'êtes qu'un minable, vous n'existez pas.

Peut-on se libérer de cette situation ? « L'homme est condamné à la liberté », dit Sartre. Il prend des décisions sans savoir si elles sont bonnes. La libération se situe à un autre niveau. C'est justement la fin de cette malédiction, c'est ne plus être condamné à la liberté, c'est faire en sorte que ce qui doit être accompli de seconde en seconde s'impose paisiblement à nous. La suprême liberté réside donc dans l'impossibilité d'un choix. Une formule en apparence paradoxale la résume : « L'esclavage complet, c'est la liberté parfaite. » Cette liberté revient à une telle communion avec la réalité que la réponse à donner ici et maintenant, dans le relatif, à une situation s'impose en toute tranquillité. Notre réponse spontanée mais limitée ne va pas sauver la planète ou l'humanité, mais elle contribue à la paix générale. Le sage peut être comparé à un acteur porté par le texte et la mise en scène, il ne s'inquiète pas de sa réplique, il connaît le rôle par cœur, il l'incarne seconde après seconde. Il pourrait en être de même pour tous, le chirurgien qui opère, le ministre qui répond aux députés. S'ils sont libérés de l'ego, ils sont portés par le mouvement de l'Univers. Il est possible de vivre unifié, complètement simple, et ce sur fond d'absolue liberté.

Mon expérience témoigne de cette «liberté par la soumission»: ma quête un jour a basculé. J'ai atteint ce que je cherchais. Je ne suis plus inquiet mais je suis disponible. Je vis simplement un état de plénitude, sans frustration ni dépendance. J'aime encore vivre, j'aime les plaisirs quotidiens de la vie, mais si un ange m'apparaissait et me disait: «Pour le temps et pour l'éternité, c'est fini», je répondrais aisément: «D'accord!»

Cet état d'unité et de paix intérieures, la vie spirituelle propose d'abord de l'étendre aux relations avec les autres. Les religions ont toujours divisé les hommes au nom du Bien ou de la Vérité. Opposition entre juifs et chrétiens, chrétiens et musulmans, entre sunnites et chiites, orthodoxes et catholiques: les hommes sont mécaniquement portés vers la division et l'incompréhension. Loin d'éviter cette division, les religions l'ont renforcée tout en se réclamant de l'unité. La spiritualité profonde, au contraire, réunit les hommes. En Inde j'ai assisté à des rencontres heureuses entre soufis et sages hindous. La spiritualité permet de mesurer la profondeur des enseignements et de comprendre que, derrière les différences, il y a une unité et une vérité. Car si quelqu'un est porté par l'amour, ce n'est pas sa vérité qui lui importe mais la communion avec l'autre. Un maître authentique ne peut qu'aimer sans exception. Qu'il ait face à lui un catholique, un musulman ou un athée ne change rien. Si chacun demeure dans l'amour, il ne peut qu'aimer.

Libération, amour, la vie spirituelle est aussi vie intérieure, intime. C'est une vérité de La Palice. Une existence personnelle se déroule sans cesse sur deux niveaux, le premier observable par les autres et le second en toute intériorité. Sur chaque moment de l'histoire d'un autre nous pouvons nous interroger : « Quels ont été alors son émotion, ses craintes, ses espoirs, ses points de crispation et de détente ? Qu'a-t-il pensé ? Qu'a-t-il ressenti ? » Mais qui peut savoir quel a été le vécu intime de Napoléon avant, pendant, après la bataille d'Austerlitz ? Avant l'engagement des troupes, il ignorait ce qui allait se passer. Était-il inquiet ? Qu'a-t-il éprouvé quand la situation a tourné en sa faveur ? Nous l'ignorons. Notre vie intérieure, qu'elle soit émotionnelle ou mentale, est impartageable. La vraie existence d'un être est celle qu'on ne connaît pas. Quel était le vécu intérieur d'un déporté dans le wagon qui le conduisait à Auschwitz ?

Nous devons lire Une vie bouleversée, le témoignage d'Etty Hillesum, une jeune Hollandaise prise dans l'étau antisémite. Elle a vingt-neuf ans, elle vit tous les événements avec une sérénité extraordinaire. Elle n'a pas eu de gourou proprement dit. Vue de l'extérieur, son histoire est épouvantable mais elle parvient à la vivre sereinement dans son intériorité. Elle est parfois malheureuse mais jamais désespérée. Elle observe tout ce qui lui arrive, elle écrit ses constats. C'est là un cas extrême mais il nous donne à réfléchir. Chacun a son monde intérieur de peurs et de tristesses et il doit lui faire accueil. C'est avec ce monde invisible que la voie spirituelle invite à reprendre contact sans peur dans la vérité et la sobriété. Il s'agit de le connaître en l'éprouvant consciemment, sans conflit ni division. Car c'est la connaissance qui libère.

Jean-Louis Cianni

Que devons-nous être, les chantres de l'apocalypse ou les autruches de la consommation? Nous sentons et nous observons à la fois que l'ordre du monde vacille. La vision occidentale longtemps hégémonique se trouve fragilisée et contestée. Elle a bien entendu ses excès et ses torts. Les idéaux de démocratie et de progrès ne constituent pas une offre crédible ou possible pour d'autres parties de l'humanité. Mais de tous les systèmes idéologiques en présence, aucun ne semble remettre en cause un parti pris général, un fond inavoué de valeurs communes, mélange d'exploitation de l'homme par l'homme, de fétichisme technologique et de mépris des équilibres naturels. Communisme asiatique, sociétés religieuses du Moyen-Orient et bloc démocratique occidental font au moins bon ménage sur ce point. Une connivence solide semble lier les différentes sphères internationales de pouvoir et de décision. Optimisme ou pessimisme ? À chacun de choisir et d'agir en conséquence.

La marche du monde dépasse toujours l'individu et le second n'a sur la première que des effets insignifiants. Difficile de mettre notre révolte à la hauteur de notre indignation et notre pouvoir de faire au niveau de nos inquiétudes. Le cours du monde et de l'humanité nous dépasse et il est vrai que l'assentiment stoïcien à son advenue est à la fois tentant et réaliste. À la particule élémentaire que notre individu représente, la philosophie, pas plus que la voie spirituelle, ne peut apporter de réponse mirobolante.

La philosophie n'est pas une voie, nous le répétons, c'est à la fois un cadre de référence et un potentiel. Comme toute discipline riche d'une longue histoire, elle offre sa géologie de savoirs sédimenté de systèmes, de méthodes, de modèles, de raisonnements, de concepts et de pratiques, des plus sérieux aux plus farfelus, des plus durables aux plus éphémères, de fulgurances universelles, de créativité, et c'est un grand stock accessible à tous ceux qui cherchent à penser pour mieux vivre. Un lieu ouvert, mixte, hybride, qui tient à la fois de la salle d'outillage et de la bibliothèque, de la place publique et du miroir, du dojo et de l'armurerie intellectuelle, du centre de soin et de base d'envol, de cinéma et d'atelier d'architecte. Une communauté hybride, traversant le temps et l'espace, l'habite, chacun de ses membres n'en est qu'un locataire éphémère venu là par simple curiosité et passion des autres. Son mobile? Il est clair et concret, comme l'a si bien défini Diderot: «servir l'humanité». Servir l'individu souffrant, vulnérable, complexe, maladroit. Servir la société par ses recherches, ses questionnements, ses interpellations, ses révoltes. Car si le philosophe reconnaît ses limites et ses faiblesses – c'est même l'arpenteur infatigable de son territoire – il n'abdique jamais devant les manipulations culpabilisantes, il ne cède pas aux sirènes du cynisme. Il refuse le découragement et l'intoxication. La posture n'a rien de grandiose, elle ne cherche pas l'exemplarité éthique, mais elle dégage une vraie disponibilité pour soi-même et pour les autres.

La vie selon la philosophie est donc bien différente de la vie selon la sagesse, telle qu'Arnaud Desjardins l'a recherchée et telle qu'il l'incarne. L'expression a-t-elle même un sens? Ne faut-il pas lui préférer la philosophie selon la vie? C'est-à-dire une activité intermittente, plongée dans le relatif et les contingences mais dotée aussi du pouvoir de s'en abstraire. Contemplation. Réflexion agissante au cœur de soi-même, en famille, au bureau, et dans tous les cercles sociaux où l'on évolue. Action inspirée par la réflexion sur la vie et l'échange infini avec autrui.

Dans ce monde, relatif pour le sage, absolument unique pour le philosophe, les deux cheminements trouvent des intersections et des étapes à partager. Accord pour libérer l'homme de ce qui l'aliène, à commencer par lui-même, l'aider à supporter ses souffrances même si les moyens utilisés sont différents. Accord encore pour rechercher l'unité intérieure mais comme un état plus alternatif que définitif. Proximité pour rechercher ce qui unit les hommes, sachant que les oppositions sont irréductibles et le plus souvent créatrices. Divergence sans doute en ce qui concerne l'amour d'autrui, car celui du philosophe est plus intellectuel que sensible – tout au moins quand il s'agit d'une attitude universelle –, c'est un amour médiation plutôt qu'un amour compassion.

C'est à ce cheminement où chaque pas apporte à la fois un tâtonnement et un appui, un mouvement vers l'avant et une résistance, qu'invite la philosophie. Il s'apparente plus à la navigation au près qu'à la reptation de la chenille. Quand le voilier remonte le vent, il n'est pas poussé par une force venue de l'arrière, il entre dans le vide qui le précède, il est aspiré dans un interstice. Telles sont notre vie et notre pensée : une résistance légère mais réelle qui invente du possible. Dans ce voyage de l'existence, la philosophie s'offre comme une trousse de survie bien utile dans les moments difficiles ou les épreuves. L'épreuve, qu'elle soit affective ou professionnelle, intime ou sociale, est toujours une expérience personnelle, une confrontation avec soi-même. L'épreuve est ce qui met la vie en question, qui nous replace dans le contexte de notre finitude et de notre mort possible. Nous avons alors à affronter le passage du réel dans notre existence. Pour le dire avec les mots d'Arnaud Desjardins, il faut « mourir et renaître ». Pour le dire avec les nôtres, il faut vivre et bien vivre…

La philosophie antique nous apporte tous les remèdes pour soigner le mal. L'exercice dit de la «consolation» peut s'avérer très efficace. Sénèque qui écrivait des lettres admirables à des amis en deuil l'a développé. Boèce a écrit en prison une bouleversante Consolation de philosophie rédigée entre des séances de torture dont il a fini par mourir. Se consoler (du latin consolari, «se soulager, s'apaiser»), c'est finalement se rendre plus fort soi-même et soutenir les autres dans l'épreuve. Descartes s'est livré lui aussi à ces consolations, dans sa correspondance avec des amis touchés par le décès de proches. La consolation a constitué un genre philosophique à part entière déclinant ce souci de soi et de l'autre au cœur de la philosophie antique.

La méditation vient s'inscrire dans cette filiation d'une philosophie pratique et soutenante. «Méditer» et «remède» partagent la même origine sémantique : medeor, «soigner». Méditer, en ce sens, se distingue de penser.

Arrêtons-nous un instant sur la différence entre les deux termes. Penser, c'est se représenter, c'est rendre présent ce qui ne l'est pas. La vérité en grec se dit aletheia : c'est un terme privatif signifiant «non-oubli», «non-latence». Méditer ressemble à penser : la méditation fait venir à la conscience des pensées qui ne s'y trouvaient pas ou qui ne pouvaient pas s'y trouver. La pensée occidentale, depuis les Grecs, se construit en référence à la vue (theoria) et la vue est ce qui sépare le sujet et l'objet, les objets entre eux. La contemplation provient de cette même matrice de sens. Le templum, le temple, est le lieu sacré, séparé. Mais le terme « méditer » oriente vers une activité mentale qui est à la fois une reprise et un lâcher. Méditer, c'est revenir à soi mais en changeant d'optique, c'est jouer avec le vide intérieur, le poser en l'oubliant, l'oublier en le posant. Méditer, c'est être traversé par la pensée sans cesser d'être le sujet traversé et traversant. Méditer décrit un point critique et un point de passage.

Dans cette tradition de la philosophie « thérapeutique » inaugurée par Socrate, développée bien que dans des voies différentes par Épicure et par les stoïciens, on retrouvera Nietzsche et son « philosophe médecin », et plus près de nous Michel Foucault qui dans ses derniers travaux approfondit les relations de cette philosophie avec la vérité du sujet. De quoi faudrait-il se soigner ? De nous-mêmes – et sur ce point philosophie et spiritualité convergent – de notre servitude volontaire – et c'est là qu'elles divergent.

Car si Arnaud Desjardins reconnaît cette servitude, s'il en fait lui aussi une réalité à dépasser, il la remplace par une capitulation positive à l'ordre des choses. Le philosophe cherche, lui, à la transformer en liberté. Cette liberté est certes une condition, elle a ses contraintes, son exiguïté, mais elle n'en tourne pas moins le dos au destin ou à la fatalité. Car loin d'être assentiment du réel, acceptation de l'ordre du monde ou de l'ordre social, elle est une volonté de résistance et d'opposition à ce qui la limite.

L'homme a découvert la navigation au près quand il avait déjà inventé le bateau à moteur… Découverte inutile ? Sous quel aspect ? Des centaines de milliers d'hommes pratiquent aujourd'hui la voile et des millions d'autres suivent les grandes courses et tours du monde où des navigateurs jouent et perdent parfois leur vie. La chenille est un être fascinant, toujours en gestation, elle ne cesse de se rêver un autre corps, une autre façon de ramper, une destination. Du fond des prisons et des camps aussi elle imagine un autre monde, plus libre, plus solidaire, plus équitable. Laissons-la avancer et inventer sa route.

Conclusion

Nous avançons comme de grands singes dans la brume. Nous empruntons un chemin à la fois réel et vague. Nous passons. Nous savons ce qui nous attend et pourtant nous voulons que notre vie au moins ne soit pas inutile pour nous-mêmes, qu'elle prenne du sens. Le système social dans lequel nous vivons ne nous apporte pas un sens, il nous rend seulement aptes à évoluer. Nous voici pris dans une sorte de double piège où chacun doit à la fois renoncer à lui-même et trouver tout seul le sens de sa vie.

Renoncer à lui-même parce que l'organisation capitaliste du monde réduit l'individu à ce qu'il possède, à ce qu'il vaut dans un univers marchand et financier. Or l'individu est le principe même de la vie : dans mon existence, il n'y a que moi qui vis, qui pense, qui ressens, il n'y a que moi qui aie accès à l'être. L'être est inabordable, inconcevable, insaisissable sans un individu livré à lui. L'organisation capitaliste du monde déjette ainsi l'individu de son destin ontologique. Elle le rabaisse à une forme abâtardie de lui-même, elle le bloque dans son aspiration à être. D'où la frustration, le dépit, le cynisme. En même temps, à la différence des communautés du passé, la société moderne ne lui fait plus aucune offre ontologique, elle n'en a plus ou elle en a trop, ce qui revient au même, c'est une grande vitrine où toutes les offres – politiques, religieuses, sportives, etc. – se mêlent et disparaissent dans le pur excès de l'offre. La société assure un minimum ontologique comme on parle d'un minimum syndical. Elle convoque seulement pour de grandes communions molles où les individus partagent leurs émotions autour d'un événement : concerts, matchs, défilé, etc.

Au vide interne créé par l'évacuation du sens s'ajoute, si l'on ose dire, un second vide né de la profusion désordonnée des possibles. L'aliénation intime par le manque se double d'une aliénation par le trop-plein extérieur. Les pratiques religieuses les plus obscurantistes se réactivent sur ce fond de non-sens qu'elles prétendent résorber.

La philosophie s'offre comme une méthode d'appoint particulière pour ceux qui ont décidé de donner un sens à leur vie. Elle apporte la pratique d'une ascèse intérieure, prise au sens d'un exercice personnel et culturel. Cette pratique ne vise pas, comme les techniques de développement personnel en vogue, à nier l'appauvrissement ontologique, à colmater les vides par des programmes établis à la va-vite et supposés répondre au besoin de sens. Elle incite au contraire à les affronter en sortant précisément des chemins battus, des normes sociales. Elle invite à se connaître soi-même, de telle sorte que cette connaissance devienne réappropriation de soi, de sa vérité et de sa liberté, qu'elle accompagne une action sur le monde. Produire le sens de sa vie : tel est le programme possible que la philosophie nous laisse en héritage. Ce sens n'est pas déposé en quelque lieu secret, aucun voile symbolique ne le recouvre, il ne se dissimule pas, telle la « lettre volée » d'Edgar Poe, au cœur des apparences. Il ne nous préexiste pas comme une chose à trouver. Il est toujours à venir et en même temps il n'est pas séparable de nous.

En traçant sa route la chenille trace la route. Elle se découvre elle-même en découvrant son chemin. Si la route est parfois difficile, c'est que le chemin individuel ne va pas de soi, c'est qu'il s'écarte des normes. Les philosophes apportent alors, s'il en est besoin, l'exemplarité d'expériences personnelles confrontées à l'épreuve de vivre. Sous cet angle, la philosophie constitue bien une thérapeutique. Mais se guérir équivaut plus ici à se renforcer pour poursuivre la marche qu'à éliminer définitivement le souci ou la difficulté de marcher.

Cette réinterprétation du souci de soi des Antiques présente un autre intérêt. Elle sort l'individu de son cercle intime, elle le dégage de son enclos narcissique. D'abord parce que se connaître soi-même, c'est se relier à une histoire, c'est entrer dans le labyrinthe universel du savoir. C'est reprendre pour soi un héritage et le transmettre à d'autres. De ce point de vue, la philosophie participe de toutes les activités qui jettent des ponts entre les générations et les cultures. C'est une reliance laïque plutôt qu'une religion, un rapprochement des hommes sur la base de leur liberté, processus laissant vide la place d'un dieu et garantissant la « compossibilité » de toutes les pratiques dans l'espace social. C'est une reliance encore en ce sens qu'elle encourage la relecture, l'herméneutique, toutes pratiques qui s'inscrivent dans l'échange et le débat, en créant les conditions au lieu de se réduire à des compulsions répétitives de textes ou à l'affirmation de vérités exclusives.

À l'heure où l'obscurantisme religieux vient redoubler le nihilisme contemporain des sociétés laïques, la reliance « philosophique » redevient indispensable. Nous sommes le résultat d'une longue histoire humaine, d'un échange sans fin des civilisations et des cultures, l'humanité n'a pas attendu, pour se mondialiser, l'idéologie de la mondialisation, idéologie de la rupture et de la confusion généralisées.

En se concentrant sur son propre chemin, la chenille affirme un individu différent de l'individu séparé, opératoire, consommant et somnambule des sociétés contemporaines. Elle redécouvre ce qui fait le fondement de son individualité : son irréductible liberté de vivre. C'est pourquoi se découvrir soi-même revient à découvrir les autres. Si la chenille exerce librement son droit de critique sur elle-même, si elle déconstruit son ego, c'est toujours pour rencontrer le collectif et s'inscrire dans une reliance sociale.

Car il est de l'essence même des libertés, individuelles et collectives, d'être toujours menacées. Dans une démocratie, défendre la liberté de l'autre, c'est toujours défendre la mienne. Au-delà de ce simple mais immense intérêt, l'individu retrouve dans la participation au collectif la possibilité de confronter sa pratique personnelle à celle des autres, de la partager, de l'enrichir dans le partage ou la communication des expériences. Il récupère ses dispositions premières d'être désintéressé, créatif, curieux. La chenille n'est pas un animal solitaire, elle avance en groupe. C'est aussi de ce destin collectif, producteur d'une histoire et d'une société, que les appareils d'État actuels semblent vouloir nous écarter, notamment dans la mise en place de centres de décisions lointains, abstraits, technocratiques.

Quelle route prendre maintenant ? La voie radicale du papillon spirituel ou la piste sinueuse de la chenille philosophe ? Je m'attarderai longtemps encore sur la seconde. Car je n'en ai pas fini avec ma chenillité.

D'abord parce que malgré ses jours de souffrance ou de désespoir, la chenillité est une expérience de la vie, une expérience complète et absolue de l'être de la vie. Je n'ai pas à aller chercher plus loin le sens d'une vie que dans cette donation elle-même, d'énergie et de lumière, de sensibilité et de pensée qui m'est faite aussi longtemps que je vis. Bien entendu, il n'y a pas de pourquoi à cette donation, l'énigme de cette jouissance temporaire de l'être ne sera pas levée. Ce qui m'a été donné sans que je le demande me sera retiré et je n'aurai décidé ni du début ni de la fin. Tragique et dérisoire destin que celui de la chenille. Mais je n'en connaîtrai pas d'autre. Rien d'autre que cette expérience sensible et consciente d'une réalité immédiate et immanente. C'est mon espace humain, subjectif et bien réel.

Le papillon nous invite à pousser le curseur de cette expérience. Il nous dit : « Vous pouvez aller plus loin, vous transformer, accéder à un niveau d'être supérieur, vivre avec plus d'intensité ontologique.» Je crois pour ma part que le seul espace de la chenille est déjà immense, si ce n'est infini.

Rester chenille ne signifie pas pour autant régresser dans sa chenillité, ce qui reste toujours possible et tentant pour certains. Être et rester chenille est déjà un enjeu. C'est pourquoi les leçons du sage sont précieuses. Oui, je dois me garder de mes illusions et de mes désirs, oui, je dois agir sur eux pour mieux vivre ma vie. Mais il ne s'agit là que de représentations et on peut toujours les transformer, les raffiner, les abandonner, même si cet exercice est difficile et parfois douloureux. Faut-il pour autant transformer l'individu lui-même? Et cela est-il possible? La vie s'éprouve originellement dans la solitude de l'individualité même si celle-ci est en relation permanente avec l'autre qu'elle-même, un milieu naturel et humain, un Soi mais qui ne serait pas neutre. La chenille demeurera toujours dans le papillon.

Vivre comme une chenille, c'est aussi défendre sa chenillité, résister à tout ce qui pourrait ou voudrait l'écraser. L'organisation sociale contemporaine, avec ses dispositifs de normalisation et d'oppression des individus, constitue sur ce plan une menace grandissante. Or la chenille s'appréhende et s'imagine comme un être libre. Et cette liberté se conquiert et se conserve autant contre l'ego individuel qu'avec un collectif. L'homme n'est homme que dans la mesure où il résiste à ce qui l'aliène, le rabaisse, le réduit, l'instrumentalise. La lutte intérieure est parfois nécessaire, voire indispensable, mais elle reste d'une faible portée transformatrice si elle ne recoupe pas, ne retrouve pas celle des autres. Or, aujourd'hui ce qui semble en question, tout autant voire plus que la survie écologique de la planète ou de certaines espèces animales, c'est la vie même de la chenille humaine. Il ne s'agit pas ici de réaffirmer les valeurs basiques d'un humanisme dépassé et bien souvent rappelé comme une idéologie de secours ou une propagande de compensation. Il s'agit de refuser de voir détruire ce que la chenille a patiemment tissé depuis des siècles : une subjectivité ouverte, une pensée critique, une volonté de transmettre, pour ne citer que les principaux acquis au service de la vie même et non d'une idée de l'Homme.

La philosophie peut contribuer à cette résistance. Comme pratique thérapeutique personnelle d'abord, même avec toutes les réserves que nous avons développées plus haut. Chacun pourra emprunter aux techniques des écoles antiques en sachant au préalable qu'il ne pourra déléguer à d'autres le souci de soi. Il ne pourra y recourir que mutatis mutandis. L'existence contemporaine n'est pas l'existence antique et la figure du sage constituera davantage un dépaysement intellectuel salutaire qu'un modèle de comportement directement applicable. En revanche, il demeure possible de les mettre au service de sa propre désaliénation continue.

Mais la philosophie a un autre intérêt. Elle participe à notre indispensable ressource culturelle collective. Si elle n'a pu éviter de se faire servante de la théologie ou de la politique, elle a aussi apporté sa pierre aux fondations de la civilisation européenne : démocratie, liberté d'expression, lutte contre l'obscurantisme religieux ou l'oppression politique, importance de l'éducation… Vivre selon la philosophie n'a sans doute plus de sens aujourd'hui, mais vivre sans un minimum de philosophie, c'est-à-dire sans pensée libre, serait sans doute pire. Si la philosophie n'est pas une voie, c'est un carrefour intérieur et une place publique.

C'est pourquoi la rencontre avec Arnaud Desjardins est salutaire et roborative. L'expérience dont celui-ci témoigne aide l'individu libre à mieux se confronter à l'épreuve de vivre. Elle rappelle l'importance des traditions lointaines dans le temps et l'espace, et la nécessité pour l'homme de les transmettre. Elle éclaire d'un autre jour la question religieuse et les relations possibles entre croyants et athées. Elle donne des raisons d'espérer dans le papillon mais aussi dans… la chenille. Enfin, et ce n'est pas le moindre de ses bienfaits, elle stimule les forces de vie et de pensée. Le papillon spirituel restera un merveilleux compagnon de route pour une chenille tâtonnante.

Jean-Louis Cianni

Table des matières

Ouvrages d'Arnaud Desjardins

Aux Éditions Albin Michel
Ashrams (coll. « Spiritualités vivantes » poche)

Aux éditions de la Table ronde
Les Chemins de la Sagesse (édition en un volume), 1999
À la recherche du soi
Le Védanta et l'inconscient
Au-delà du moi
Tu es Cela
Approches de la méditation
Dialogues à deux voies (avec Lama Denys Tendroup), 1995
L'Ami spirituel, 1996
En relisant les Évangiles, 1990
La Voie et ses pièges, 1992
Retour à l'Essentiel, 2002
Bienvenue sur la voie, 2005

Ouvrage de Jean-Louis Cianni

La Philosophie comme remède au chômage, Albin Michel, 2007

Imprimé en Allemagne par GGP Media GmbH, Poessneck,
en janvier 2013
ISBN : 978-2-501-08293-8
4123022 / 01
dépôt légal : mars 2013